真棒

ZHĒN BÀNG! 1

Workbook

2nd Edition

Senior Advisor

王昭華 Margaret M. Wong

Director of International Education / Chinese Instructor
Breck School, Minneapolis, MN

Lead Author

方虹婷 Tiffany Fang

Master of Arts in Teaching Chinese as a Second Language

Contributing Writers

沈映佳 Shen Yingjia   陈淑华 Chen Shu-hwa   钱玲岑 Chien Ling-tsen

EMC Publishing®

ST. PAUL, MINNESOTA

Associate Publisher
Alex Vargas

Editor
Henry Han

Cover Designer
Leslie Anderson

Proofreader
International Contact, Inc

Care has been taken to verify the accuracy of information presented in this book. However, the authors, editors, and publisher cannot accept responsibility for Web, e-mail, newsgroup, or chat room subject matter or content, or for consequences from application of the information in this book, and make no warranty, expressed or implied, with respect to its content.

Credits: Photos and illustrations were provided by Live ABC Interactive Corporation.

We have made every effort to trace the ownership of all copyrighted material and to secure permission from copyright holders. In the event of any question arising as to the use of any material, we will be pleased to make the necessary corrections in future printings. Thanks are due to the aforementioned authors, publishers, and agents for permission to use the materials indicated.

ISBN 978-0-82198-138-2

875 Montreal Way
St. Paul, MN 55102
Email: educate@emcp.com
Website: www.emcschool.com

Printed in the United States of America

24 23 22 21 20 19   4 5 6 7 8 9 10

Table of Contents

名字: _____ 日期: _____

Foundation A

1 **Fill in the blanks with the correct answers according to the content of this lesson.**

1. The biggest man-made structure in the world is _____.

2. The capital of China is _____.

3. _____ and _____ are the two main rivers in China.

4. _____ and _____ are regions with Chinese as the official language.

5. China is the most populated country in the world with around _____ people.

6. _____ is the largest city square in the world.

7. Both China and the United States border the _____ Ocean.

2 **Complete the sentences in Pinyin for each situation below.**

1. If you can't understand what your Chinese friend says, you may say to him / her…

_____

2. If you are not sure about the tone of a word and want to ask your teacher, you can say…

_____

3.   If your classmate asks you the tone of a character and you are sure that it is the
     second tone, you may tell him / her…

     _____

4.   Your friend asks you if today is Wednesday, but it is actually Tuesday. So, you reply…

     _____

5.   Following the above question, if today is Wednesday, you say…

     _____

3 Look at the following three groups, and match the related texts to one another.

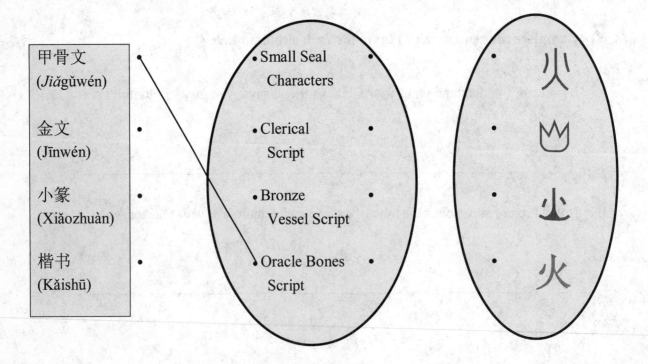

名字: _____ 日期: _____

4 Find the radicals of the 20 Chinese words below using the clues (A-J) provided in the chart.

A. 山 shān

B. 宀 mián

C. 人 rén

D. 貝 bèi

E. 雨 yǔ

F. 大 dà

G. 口 kǒu

H. 木 mù

I. 土 tǔ

J. 日 rì

1. 他 tā
he _____

2. 早 zǎo
morning _____

3. 財 cái
wealth _____

4. 雪 xuě
snow _____

5. 天 tiān
sky _____

6. 地 dì
land _____

7. 吃 chī
to eat _____

8. 明 míng
bright _____

9. 岩 yán
rock _____

10. 守 shǒu
to keep watch _____

11. 樹 shù
tree _____

12. 貨 huò
goods _____

13. 坐 zuò
to sit _____

14. 峽 xiá
gorge _____

15. 雲 yún
cloud _____

16. 家 jiā
family _____

17. 森 sēn
forest _____

18. 夫 fū
husband _____

19. 例 lì
example _____

20. 吞 tūn
to swallow _____

5 Draw a line from the words in the center of the chart to the correct radical and meaning.

Radical	金 jīn	木 mù	艸 cǎo	水 shuǐ	目 mù
	1. 錢 qián	2. 海 hǎi	3. 草 cǎo	4. 森 sēn	5. 眼 yǎn
Meaning	*sea*	*money*	*grass*	*eye*	*forest*

6 Use the English definitions given and radicals A-J below to complete each character.

A. 言　　　　B. 囗　　　　C. 犬 (犭)　　D. 女　　　　E. 水 (氵)
(yán, *words*)　(wéi, *around*)　(quǎn, *dog*)　(nǚ, *woman*)　(shuǐ, *water*)

F. 火　　　　G. 艸 (艹)　　H. 手 (扌)　　I. 疒　　　　J. 辶
(huǒ, *fire*)　(cǎo, *grass*)　(shǒu, *hand*)　(chuáng, *sick*)　(chuò, *to go*)

1. *imprison*	2. *to roast*	3. *disease*	4. *dog*	5. *younger sister*
___ 人	___ 考	___ 丙	___ 句	___ 未
qiú	kǎo	bǐng	gǒu	mèi

6. *river*	7. *to speak*	8. *flower*	9. *to escape*	10. *to pull*
___ 工	___ 兑	___ 化	___ 兆	___ 立
hé	shuō	huā	táo	lā

7 The following is a Chinese myth. Read the story, and use its contents and the clues in parentheses to fill in the correct radical answers (A-W) in the blanks below.

A. 木 mù	B. 石 shí	C. 水 shuǐ	D. 金 jīn	E. 大 dà	F. 門 mén
G. 手 shǒu	H. 虫 huǐ	I. 目 mù	J. 雨 yǔ	K. 貝 bèi	L. 女 nǔ
M. 刀 dāo	N. 口 kǒu	O. 日 rì	P. 火 huǒ	Q. 山 shān	R. 玉 yù
S. 土 tǔ	T. 米 mǐ	U. 人 rén	V. 田 tián	W. 犬 quǎn	

A Legend of Radicals

A long time ago, when there was not even one 邑(yì, *city*), there was a giant 1.＿＿＿＿＿＿＿＿

(*person; people*) in northern China whose 力(lì, *strength*) was as 2.＿＿＿＿＿＿＿ (*large;*

great) as that of an 牛(niú, *ox*). At the time, there were many 3.＿＿＿＿＿＿＿ (*dog(s)*) and

4.＿＿＿＿＿＿＿ (*insect(s)*) that wanted to 食(shí, *to eat*) people with their 5.＿＿＿＿＿＿＿

(*knife*)-like 6.＿＿＿＿＿＿＿ (*mouth(s)*) so that the people had to hide in 广(yǎn, *shelter(s)*).

In order to protect each 宀(mián, *roof; family*), the giant 辶(chuò, *to go; went*) on 足(zú, *foot*)

to find the monsters. He then beat them with 7.＿＿＿＿＿＿＿ (*stone(s)*) in his 8.＿＿＿＿＿＿

(*hand(s)*). Later, the 9.＿＿＿＿＿＿＿ (*sun*), like 10.＿＿＿＿＿＿＿ (*fire*), dried up all the

11.＿＿＿＿＿＿＿ (*water*) and 草(cǎo, *grass*) on the 12.＿＿＿＿＿＿＿ (*earth; ground*),

and all the 魚(yú, *fish*) in the rivers and the 禾(hé, *grain(s)*) in the 13.＿＿＿＿＿＿＿

(*field(s)*) died. Because there was no 14.＿＿＿＿＿＿＿ (*rice*) and 肉(ròu, *flesh; meat*) to eat and no 衣(yī, *clothes*) made of 糸(mì, *silk*) to wear, the people started to get 疒(chuáng, *sick*).

After seeing this with his 15._____ (*eye(s)*), the giant made a decision in his 心

(xīn, *heart*) to grab the sun using his own hands and 囗(wéi, *close*) it behind a 16._____

(*door*) to listen to the 言(yán, *words*) of the people.

The giant was as fast as the 馬(mǎ, *horse(s)*) on land and the 鳥(niǎo, *bird(s)*) in the sky. Each

彳(chì, *pace*) he took was as wide as a 17._____ (*mountain*). But the closer he got

to the sun, the thirstier he became. Although he drank up several rivers, he still died. The

giant's body became a large mountain, and the staff of 18._____ (*wood*) he carried

in his hands became a forest. The gods in the sky were moved by his spirit, so they let

19._____ (*rain*) fall on the land below. The people returned to their lives, and the

little boys and 20._____ (*female(s)*) grew up.A long time later, a man with a 巾(jīn,

kerchief) tied around his head appeared. He sat on a 車(chē, *cart*) and told this story to people

while he 攴(pū, *tap(ped)*) out a rhythm with a 竹(zhú, *bamboo*) stick. The story was popular

with 阜(fù, *plenty*) of people, and many paid him rare 21._____ (*shell(s)*),

22._____ (*jade*) or 23._____ (*gold*) for him to perform, making him the

richest person in the world.

8 A telephone number is hidden in the girls' names in the list below. Find the girls names one by one, and write down the Pinyin and tone of each name. 1 stands for the first tone, 2 for the second, 3 for the third and 4 for the fourth. Use this to find the hidden telephone number, then write it down.

Guest List	
1. Allen 亚伦	*5. Wendy* 温蒂
2. Penny 佩妮	*6. Jim* 吉姆
3. David 大卫	*7. Tom* 汤姆
4. Kelly 凯莉	*8. Lisa* 莉莎

Girl's name				
Pinyin and tone				
Telephone number				

9 Write your Chinese name using both Pinyin and characters.

我叫 (Wǒ jiào)＿＿＿＿＿＿＿＿＿＿＿＿＿＿＿＿＿＿＿＿＿＿＿＿＿＿＿＿＿。

10 Write the Chinese name of one of your classmates using both Pinyin and characters.

他 / 她叫 (Tā / Tā jiào)＿＿＿＿＿＿＿＿＿＿＿＿＿＿＿＿＿＿＿＿＿＿＿＿＿。

Foundation B

1 **The following activity is about the special names of some of China's provinces. Use the prompts given to fill in the names of the respective provinces.**

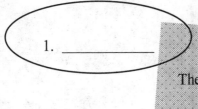

1. _____

The most northern and eastern province.

Its capital is called "museume of ancient history."

2. _____

3. _____

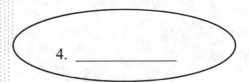

Where Shanhai pass is located at.

Hawaii of the East

4. _____

5. _____

Because of abundance of natural springs, its captital city is called the "city of springs."

2 Each Chinese province is unique. Below are the accounts of five people who are traveling in China. Read their comments to figure out where they are. Then, shade in the province they are in on the map below using the colors given. The last section is for you. Collect information on a province that has not been introduced, and write a few facts describing the province in the space provided. Then, color in the province on the map in a different color. Don't forget to draw a picture of yourself in the box!

- It is China's southernmost province.

- Famouse for its seafood and pearls

Blue

Black
- The vast meadows make me feel free.
- The lake here is the largest inland saltwater lake in China.

Yellow
- It is both China's most northern and eastern province.
- The ice sculptures in the "city of ice" are really amazing!

- This province is the birthplace of Confucius.
- Tai Shan, the first natural and cultural World Heritage Site named in China, can be found here.

Green

Pink
- It has a historical name, the "province of abundance".
- Do you like giant pandas? If so, you must come visit them.

_____

_____

_____

3 Read the following situations and write what the teacher might say in Pinyin.

1. Class has begun. The teacher wishes for the students to open their textbooks, so he'll / she'll say…

   _____

2. When the teacher wishes for a student to stand, he'll / she'll say…

   _____

3. Following the above, to ask the student to sit back down, he'll / she'll say…

   _____

4. If the teacher wishes to teach something on the following page, he'll / she'll say…

   _____

5. The teacher has written something on the board. He wants the students to see what he has written, so he'll / she'll say…

   _____

6. Receiving a handout from the teacher, the students may want to say to the teacher…

   _____

4 Color the circles with Traditional Chinese characters red, and color circles with Simplified Chinese characters green.

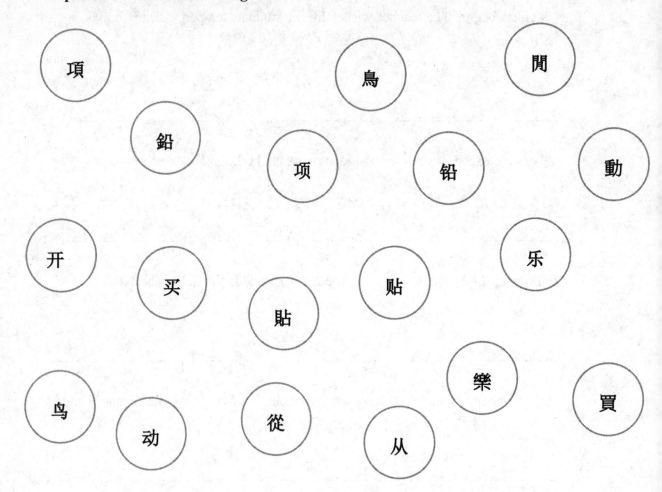

項

鉛

鳥

閒

項

鉛

動

開

買

貼

貼

樂

鳥

動

從

從

買

樂

鳥

動

從

从

5 Match the Traditional Chinese character on the left with the same Simplified Chinese character on the right.

1. _____ 從　　　　　　　　　　　　　　A. 后

2. _____ 禮　　　　　　　　　　　　　　B. 难

3. _____ 適　　　　　　　　　　　　　　C. 体

4. _____ 體　　　　　　　　　　　　　　D. 从

5. _____ 後　　　　　　　　　　　　　　E. 礼

6. _____ 塵　　　　　　　　　　　　　　F. 尘

7. _____ 難　　　　　　　　　　　　　　G. 适

8. _____ 頭　　　　　　　　　　　　　　H. 头

6 **Each shaded box below has three characters that share the same radical; write it on the line provided.**

1. _____   仕　付　从   2. _____   仄　厅　历

3. _____   宇　它　守   4. _____   卫　叩　即

5. _____   边　过　达   6. _____   饥　饭　饮

7. _____   古　可　兄   8. _____   点　杰　烹

7 Each basic stroke has been given a symbol below. Use the symbols to represent the correct order and the correct strokes of each character. Follow the model.

横 héng (Horizontal stroke) → ●

竖 shù (Vertical stroke) → ▲

撇 piě (Left-slanted stroke) → ■

捺 nà (Right-slanted stroke) → ★

点 diǎn (Dot) → ○

提 tí (Rising stroke) → △

钩 gōu (Hook) → □

折 zhé (Bent stroke) → ☆

Li.zi: 王: ●●▲●

1. 入: _____

2. 七: _____

3. 日: _____

4. 手: _____

5. 江: _____

6. 信: _____

Foundation C

1 Complete the following crossword puzzle with the Pinyin of the municipalities and special administration regions you learned about in this Foundation lesson.

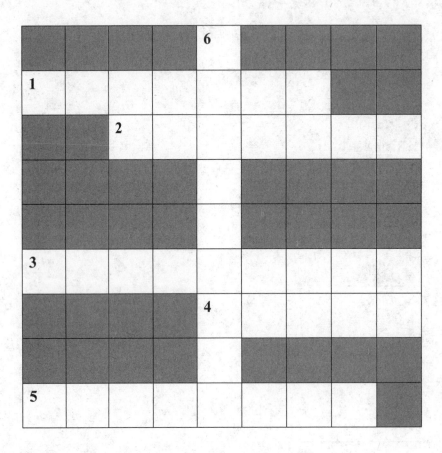

Across

1. It is the capital of the People's Republic of China (PRC).

2. It is called "the pearl of Bohai."

3. It is called the "city of mountains."

4. The Ruínas da Antiga Catedral de São Paulo can be found here.

5. It is a combination of the old and the new, the traditional and the contemporary.

Down

6. It is China's first Special Administrative Region.

2 Use the hints given to figure out the names of the following cities. If the city is a municipality, color the circle next to the number red. If it is a Special Administration Region, color the circle blue.

◯ 1. _____

- A well-situated port city
- Hosted the World Expo in 2010

◯ 2. _____

- English is one of the most used languages here
- One of Asia's four small dragons

◯ 3.

_____

- The Heavenly Fort
- The multi-national museum of architecture

○ 4.

_____

- Portuguese is one of the
  languages spoken here
- Tourism is the main industry

○ 5. _____

- Known for its spicy hotpots
- A transportation hub for China's
  southeast

○ 6. _____

- Home of the famous Peking Man
- Host city of the 2008 Summer
  Olympics

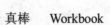

3 Write your responses in Pinyin for each situation below.

1. If your friend asks you for your Chinese textbook and you happen to have it with you, you can say…

   _____

2. If your friend asks you for three red pens and you don't have them, you can say…

   _____

3. If your classmate asks for help on a math question and you want to make sure that he/she has understood, you can say…

   _____

4. If your classmate asks for help on a math question and you'd like to know if there are any other questions he/she needs help with, you can say…

   _____

5. You ask your classmate a question, but you don't understand what he/she said, you can say…

   _____

6. Your friend told you something and he/she wants to make sure if you understand. If you understand what they said, you can say…

   _____

4 **Complete the dialogues according to the pictures.**

Situation 1

A: 懂了吗？Dǒng .le .ma?

B: _____。

Situation 2

A: 有问题吗？Yǒu wèntí .ma?

B: _____。

Situation 3

A: 懂了吗？Dǒng .le .ma?

B: _____。

Situation 4

A: 有问题吗？Yǒu wèntí .ma?

B: _____。

5 Look at the following three groups and match the related pictures, pictographs and characters to one another.

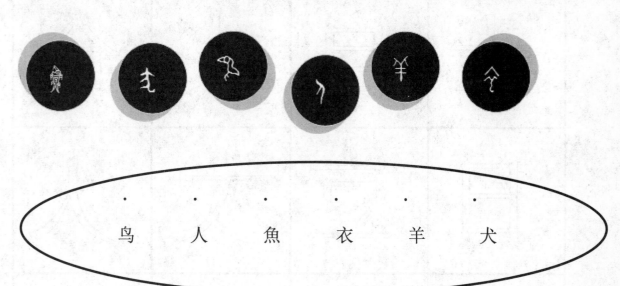

鸟　人　鱼　衣　羊　犬

6 Write the first stroke of every character below in the boxes provided, then draw a line between the character in the first row and the character in the second row that share the same first stroke.

井		尘		只		亡		会	

少		记		人		天		旦	

7 **Look at the characters below and shade in the first stroke.**

1. 江	2. 司	3. 卡	4. 电
5. 土	6. 自	7. 尖	8. 合
9. 日	10. 豆	11. 文	12. 火
13. 刀	14. 王	15. 字	16. 行
17. 也	18. 上	19. 下	20. 父

Foundation D

1 Label the map with the autonomous regions listed below, and then shade in each one
with the color indicated.

Inner Mongolia Autonomous Region: red

Xinjiang Uyghur Autonomous Region: blue

Guangxi Zhuang Autonomous Region: green

Tibet Autonomous Region: yellow

Ningxia Hui Autonomous Region: black

2 Imagine that you are a reporter who has just returned from visiting the five autonomous regions in China. Use your notes below to label and give an appropriate title for the location of each picture.

Notes
* Ningxia Hui Autonomous Region, cultivated by the Yellow River—rich in crops, pastures, and minerals
* Xingjiang Uyghur Autonomous Region, watched over by 1,000 Buddha— home of the melons
* Guangxi Zhuang Autonomous Region, the Zhuang tribe living on limestone topography
* Tibet Autonomous Region, the sunshine city in the Himalayas
* Inner Mongolia Autonomous Region, Mongolian culture on the grassland

1. Place name：_____

   Title：_____

2. Place name：_____

   Title：_____

3.　Place name：_____

　　Title：_____

4.　Place name: _____

　　Title: _____

5.　Place name: _____

　　Title: _____

3 **Your class has a new Chinese exchange student named Ming. Help him understand what the teacher says by writing the English phrases below in Pinyin.**

1.   The teacher says, "Please write your name on the board."

     _____

2.   The teacher says, "Please repeat after me."

     _____

3.   The teacher says, "Let's listen to the CD now."

     _____

4.   The teacher says, "Please try it yourself."

     _____

5.   The teacher says, "Please come here."

     _____

6.   The teacher says, "Please say it again."

     _____

4 **Match the descriptions on the left to the ideographs in the center column by writing the appropriate letter in the space provided. Then draw a line between the ideographs and their meaning in the right-hand column.**

1. _____   In the likeliness of a person with his/her legs crossed

A.

• 大
big

2. _____   In the likeliness of a person with his/her arms and legs wide open

B.

• 齊
neat

3. _____   In the likeliness of a row of wheat

C.

• 中
middle

4. _____   In the likeliness of a person holding something under his/her armpits

D.

• 夾
to clip

5. _____   The short stroke represents the object's position in relation to the longer stroke

E.

• 交
to interlock

6. _____   In the likeliness of a flag placed in the middle of an area

F.

• 下
downward

5 Below are five 习 *xi* characters. Write down what font each might be on the lines provided.

1. _____

2. _____

4. _____

A. Seal style

B. Official style

C. Standard style

D. Running style

E. Cursive style

3. _____

5. _____

6 **Write the letter of the sentence that corresponds to each illustration in the speech bubbles.**

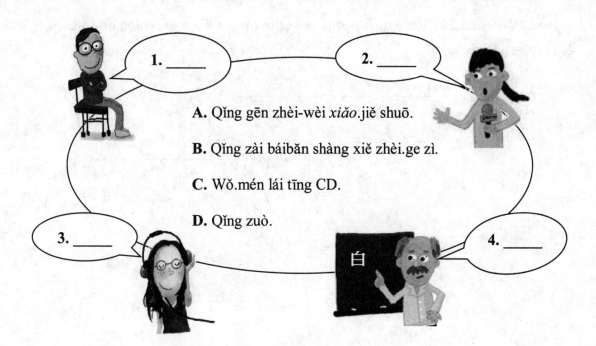

A. Qǐng gēn zhèi-wèi *xiǎo*.jiě shuō.

B. Qǐng zài báibǎn shàng xiě zhèi.ge zì.

C. Wǒ.mén lái tīng CD.

D. Qǐng zuò.

Foundation E

名字: _____ 日期: _____

1 The gray areas are Taiwan's cities. Color the municipalities red and the counties yellow. Write the English names of the counties on the lines provided and answer the four questions below.

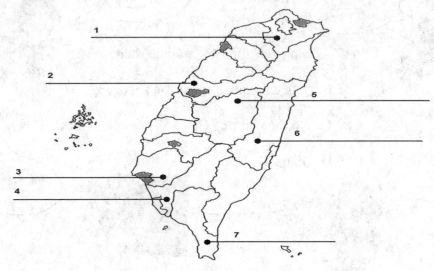

1. What are the other two languages spoken in Taiwan besides of Mandarin Chinese?

    _____

2. Which two seasons are the typhoon seasons in Taiwan?

    _____

3. What is the name of Taiwan's tallest mountain?

    _____

4. Taiwan is small, but its topography is varied. Why?

    _____

2 Fill in the place names according to the dialogues below.

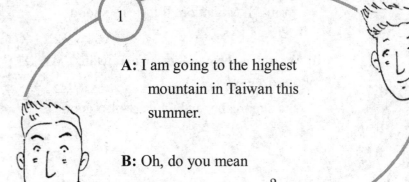

1

A: I am going to the highest mountain in Taiwan this summer.

B: Oh, do you mean

_____?

2

A: What is the key industry in Taiwan?

B: _____! The computers we are using now are from there!

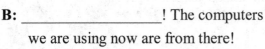

3

A: Do you know what Taiwan's capital city is?

B: Of course I know! It is

_____ City.

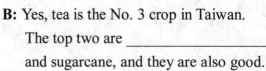

A: My grandson brings me Oolong tea from Ali Mountain. It tastes so good!

B: Yes, tea is the No. 3 crop in Taiwan. The top two are _____ and sugarcane, and they are also good.

4.

5

A: I don't quite understand characters used in Taiwan, why?

B: We use Simplified characters here in China, but people in Taiwan use

_____

6.

A: How many municipalities are there in Taiwan? What are they?

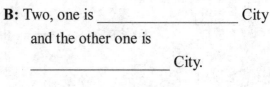

B: Two, one is _____ City and the other one is _____ City.

3 Answer the questions in Pinyin using the prompts given.

1. Nǐ shàng shén.me kè? (*Math*)

   ＿＿＿＿＿＿＿＿＿＿＿＿＿＿＿＿＿＿＿＿＿＿＿＿＿＿＿＿＿＿＿

2. Zhè xuéqī nǐ shàng shén.me kè? (*Chinese and History*)

   ＿＿＿＿＿＿＿＿＿＿＿＿＿＿＿＿＿＿＿＿＿＿＿＿＿＿＿＿＿＿＿

3. Hái yǒu wèntí .ma? (*No*)

   ＿＿＿＿＿＿＿＿＿＿＿＿＿＿＿＿＿＿＿＿＿＿＿＿＿＿＿＿＿＿＿

4. "Huá" shì dì-jǐ shēng?

   ＿＿＿＿＿＿＿＿＿＿＿＿＿＿＿＿＿＿＿＿＿＿＿＿＿＿＿＿＿＿＿

4 Match the combinations of each radical with the 马 *mǎ* phoneme with the appropriate English word.

1. ＿＿＿ 虫 (*insect*) + 马 = 蚂 (mǎ)   A. *agate*

2. ＿＿＿ 王 (*jade*) + 马 = 玛 (mǎ)   B. *ant*

3. ＿＿＿ 石 (*stone*) + 马 = 码 (mǎ)   C. *yard (unit of measure)*

4. ＿＿＿ 口 (*mouth*) + 口 + 马 = 骂 (mà)   D. *mother*

5. ＿＿＿ 女 (*women*) + 马 = 妈 (mā)   E. *scold*

5 Match the words below (combinations of pictograms or ideograms) to the definitions provided in the word bank.

A. to be bright	F. fairy; saint
B. to be stuck	G. fire
C. to see	H. to be massive
D. to lie on one's face downward	I. to divide, to dissect
E. prisoner	J. man

1. _____ 日 (sun) + 月 (moon) = 明

2. _____ 田 (field) + 力 (strength) = 男

3. _____ 人 (people) + 山 (mountain) = 仙

4. _____ 人 (people) + 犬 (dog) = 伏

5. _____ 手 (hand) + 目 (eye) = 看

6. _____ 火 (fire) + 火 = 炎

7. _____ 口 (enclosure) + 人 (people) = 囚

8. _____ 石 (stone) + 石 + 石 = 磊

9. _____ 上 (up) + 下 (down) = 卡

10. _____ 木 (wood) + 斤 (ax) = 析

6 Select the structure type for each character.

> A. top-bottom   B. left-right   C. stand alone
>
> D. enclosed   E. semi-enclosed

1. _____ 司   6. _____ 历

2. _____ 利   7. _____ 北

3. _____ 盆   8. _____ 思

4. _____ 子   9. _____ 超

5. _____ 图   10. _____ 女

7 Match each character on the left to the character with the same structure type on the right.

1. _____ 村   A. 进

2. _____ 山   B. 拆

3. _____ 回   C. 水

4. _____ 古   D. 国

5. _____ 例   E. 早

6. _____ 这   F. 湖

Foundation F

1 The following are the statements of ten reporters on location. Use the keywords they provide to find the location of each reporter on the map on the next page and fill in the boxes with A-I.

A. The world's highest peak; its name is Sanskrit for "abode of snow."

B. Here, you can find China's limestone topography.

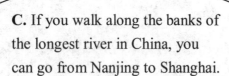

C. If you walk along the banks of the longest river in China, you can go from Nanjing to Shanghai.

D. The mother of the Chinese people, it is a long river loaded with yellow sand.

E. The roof of the world has an abundance of hydroelectricity.

F. The kingdom of heaven is the natural habitat of the giant panda.

G. China's only mountain range from east to west is the division of the Yangzi and Yellow River.

H. The world's largest ancient canal starts in the north in Beijing and flows to Hangzhou in the south.

I. This is named as one of the Seven Wonders of the World, and is a symbol of the Chinese spirit.

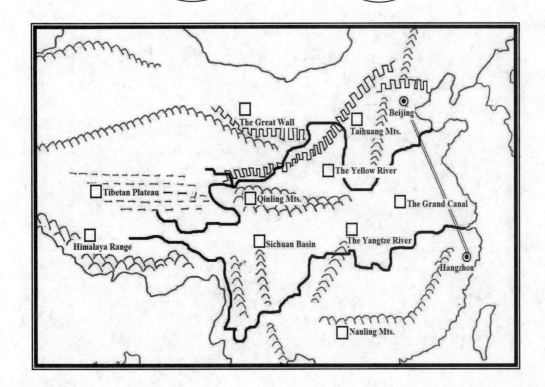

The Great Wall

Taihuang Mts.

Beijing

The Yellow River

Tibetan Plateau

Qinling Mts.

The Grand Canal

Himalaya Range

Sichuan Basin

The Yangtze River

Hangzhou

Nanling Mts.

2 Use the Pinyin of the words and sentences below as a reference to mark the actual tonal changes in speech.

1.

粉饼 (*compact foundation*)   买粉饼 (*to buy compact foundation*)

fěnbǐng   mǎi fěnbǐng

＿＿＿＿＿＿＿＿＿＿＿＿   ＿＿＿＿＿＿＿＿＿＿＿＿

我买一个粉饼。Wǒ mǎi yí-.ge fěnbǐng.
(*I bought some compact foundation.*)

＿＿＿＿＿＿＿＿＿＿＿＿＿＿＿＿＿＿＿＿＿＿＿

2.

水饺 (*dumplings*)   煮水饺 (*to cook dumplings*)

shuǐjiǎo   zhǔ shuǐjiǎo

＿＿＿＿＿＿＿＿＿＿＿＿   ＿＿＿＿＿＿＿＿＿＿＿＿

我想煮水饺。Wǒ xiǎng zhǔ shuǐjiǎo.
(*I'd like to cook some dumplings.*)

＿＿＿＿＿＿＿＿＿＿＿＿＿＿＿＿＿＿＿＿＿＿＿

3.

小姐 (*miss*)
xiǎo.jiě

吕小姐 (*Miss Lu*)
Lǚ xiǎo.jiě

_____   _____

吕小姐很窈窕。
Lǚ xiǎo.jiě hěn yǎotiǎo.
(*Miss Lu is very slim.*)

_____

4.

演讲 (*to give a speech*)

yǎnjiǎng

演讲者 (*the speaker*)

yǎnjiǎngzhě

_____   _____

我不喜欢第一个演讲者。
Wǒ bù xǐhuan dì-yī .ge yǎnjiǎngzhě.
(*I don't like being the first speaker.*)

_____

5.

雨伞(*umbrella*)

yǔsǎn

小雨伞(*small umbrella*)

xiǎo yǔsǎn

_____   _____

这不是一把小雨伞。Zhè bú shì yì-bǎ xiǎo yǔsǎn.
(*This is not a small umbrella.*)

_____

3 Check to see if the following words and sentences follow the rules of Pinyin. If there are mistakes, circle them and write the correct Pinyin on top of the original.

1. dàxiàng *(elephant)*

2. jǘzi *(orange)*

3. měiguó *(the U.S.A.)*

4. Zhōnggúo *(China)*

5. nühái *(girl)*

6. ōu xiān.sheng *(Mr. Ou)*

7. xīngqīyī *(Monday)*

8. tā jiào hé kǎixī. *(Her name is Kaixi He.)*

9. wǒ shàng Zhōngweń kè. *(I take Chinese class.)*

10. Bàba, Māma wǎnān! *(Dad, mom, goodnight!)*

4 The following are Chinese translations of American figures. Read the Pinyin and figure out who that is by writing down their English names.

1. màikè jiékèxùn   _____

2. línkěn   _____

3. màikè qiáodān   _____

4. tàilè sīwéifútè   _____

5. ānjílìnà zhūlì   _____

6. jiésēn sītǎnmǔ   _____

5 Decide whether the words below are translations or transliterations. Answer letter A for translations, and B for transliterations.

1. _____ 电影 diànyǐng   *movie*

2. _____ 派对 pàiduì   *party*

3. _____ 太空人 tàikōngrén   *astronaut*

4. _____ 汽车 qìchē   *car*

5. _____ 马拉松 mǎlāsōng   *marathon*

6. _____ 芭蕾 bālěi   *ballet*

7. _____ 计算器 jìsuànqì   *calculator*

8. _____ 比基尼 bǐjīní   *bikini*

9. _____ 坦克 tǎnkè   *tank*

10. _____ 飞机 fēijī   *airplane*

11. _____ 模特 mótè   *model*

12. _____ 空调 kōngtiáo   *air conditioner*

6 Use the hints from the English sentences to write the missingsentences on the blanks in Pinyin and recover what the Chinese teacher Miss Smith said in class.

Miss Smith:

Good morning, everyone! 1._____ (look at the blackboard),

on the board are vocabulary that we went over yesterday,

2._____ (take out a piece of paper) and practice writing

each word five times. Leo, 3._____ (put the backpack

away), your bag is taking up the whole desk. How do you plan on writing like that? Finally,

let's talk about homework. 4._____ (take out your homework). The first exercise

is very simple. 5._____ (take out the textbook) and turn to page 36; the answer is

right there. 6._____ (look at the map) and find out where the Great Wall and the

Grand Canal are. After you find them, 7._____, (take out a pencil) and write on a

separate piece of paper. Amy, 8._____ (put the cellphone away) Don't talk on the

phone in class!

Unit 1 Lesson A

1 **Write the following words in Pinyin.**

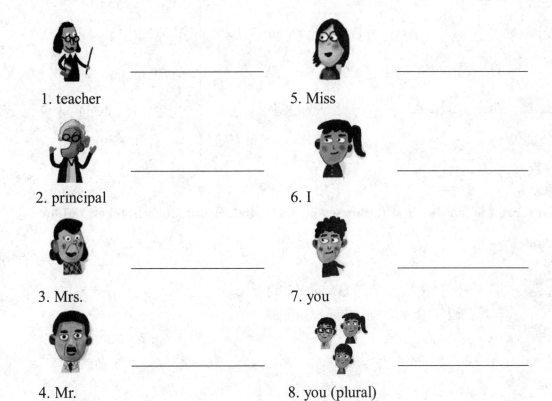

1. teacher _____

2. principal _____

3. Mrs. _____

4. Mr. _____

5. Miss _____

6. I _____

7. you _____

8. you (plural) _____

2 **Write the Pinyin and English meaning for each word.**

1. 早安 _____ _____

2. 名字 _____ _____

3. 叫 _____ _____

4. 什么 _____ _____

5. 你好 _____ _____

6. 你们 _____ _____

7. 姓 _____ _____

8. 我 _____ _____

3 Fill in the blanks with the appropriate word from the box.

1. 你叫 Nǐ jiào_____名字 míng.zì?

2. 您贵 Nín guì_____?

3. 张 Zhāng_____, 早安 zǎo'ān。

4. 我叫白苹 Wǒ jiào Bái Píng, _____?

5. _____廖先生 Liào xiān.shēng。

6. 我的 Wǒ.de_____是林华 shì Lín Huá。

名字 míng.zì
什么 shén.me
这是 zhè shì
你呢 nǐ .ne
先生 xiān.shēng
姓 xìng

4 Unscramble the words and phrases below to make complete sentences. Follow the model.

Li.zi: 是 shì / 张国华 Zhāng Guóhuá / 这 zhè。
这是张国华。 Zhè shì Zhāng Guóhuá.

1. 什么 shén.me / 你 nǐ / 姓 xìng?

   _____

2. 名字 míng.zì / 你 nǐ / 什么 shén.me / 叫 jiào?

   _____

3. 林校长 Lín xiàozhǎng / 是 shì / 这 zhè。

   _____

4. 叫 jiào / 我 wǒ / 白苹 Bái Píng。

   _____

5 Choose the Chinese expression from the box that best fits each situation.

> A. 早。 Zǎo.
> B. 你姓什么？ Nǐ xìng shén.me?
> C. 我叫张国华。 Wǒ jiào Zhāng Guóhuá.

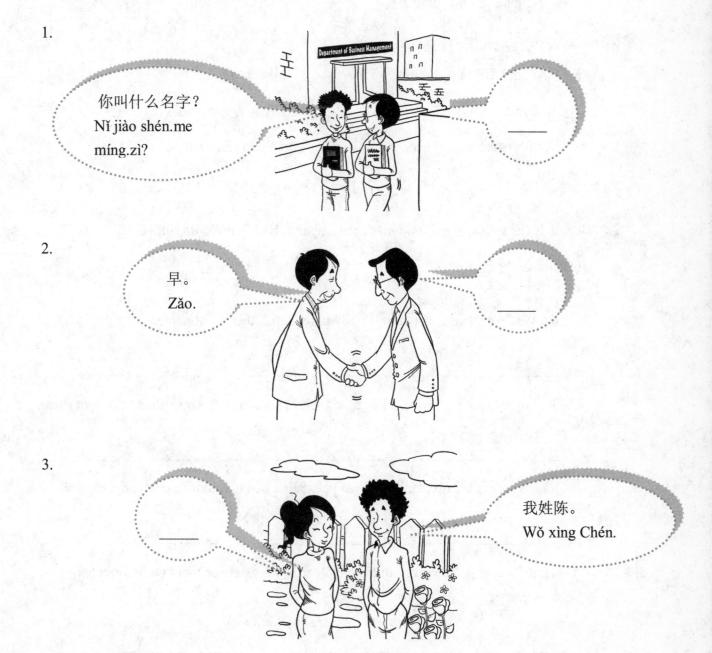

1.

你叫什么名字？
Nǐ jiào shén.me
míng.zì?

_____

2.

早。
Zǎo.

_____

3.

_____

我姓陈。
Wǒ xìng Chén.

6 Match each sentence on the left with the correct response on the right.

1. _____ 林老师，早！

   Lín lǎoshī, zǎo!

   A. 我叫张国华。

   Wǒ jiào Zhāng Guóhuá.

2. _____ 她叫什么名字？

   Tā jiào shén.me míng.zì?

   B. 你好。

   Nǐ hǎo.

3. _____ 你好！我叫白苹，你呢？

   Nǐ hǎo! Wǒ jiào Bái Píng, nǐ .ne?

   C. 你们早。

   Nǐ.men zǎo.

4. _____ 吴先生，你好。

   Wú xiān.shēng, nǐ hǎo.

   D. 她叫林芳。

   Tā jiào Lín Fāng.

7 Decide if the following statements are true or false. Correct any false statements.

1. _____ Like Western society, children usually take their father's last name.

   _____

2. _____ Like Western society, wives change to their husbands' last name after getting married.

   _____

3. _____ Chinese names are divided into three parts: first name, middle name and last name.

   _____

4. _____ When Chinese people give out business cards, they deliver them with both hands to show respect.

   _____

8 Imagine you are meeting 张华 *Zhāng Huá*, an exchange student from China, for the first time. Complete your conversation in Pinyin and make sure the dialogue follows a logical sequence.

你 nǐ: _____

张华 Zhāng Huá: 早！ Zǎo!

你 nǐ: _____

张华 Zhāng Huá: 我叫张华，你呢？ Wǒ jiào Zhāng Huá, nǐ .ne?

你 nǐ: _____

(*Your good friend - Bai Ping - approaches you.*)

白苹 Bái Píng: 你们好。Nǐ.men hǎo.

你 nǐ: _____

白苹 Bái Pín: 你好。你叫什么名字？ *Nǐ* hǎo. Nǐ jiào shén.me míng.zì?

张华 Zhāng Huá: 我叫张华。 Wǒ jiào Zhāng Huá.

9 **Complete each statement based on the picture and the clues.**

你好， 我叫张国。 *Nǐ* hǎo, wǒ jiào Zhāng Guó.	1. This is 书芳 Shūfāng's father, so 书芳 Shūfāng's full name is: _____
林国安 Lín Guó'ān 张华校长 Zhāng Huá Xiàozhǎng	2. In this situation, they may greet each other: 张华： _____ 林国安： _____
我叫司马芳。 Wǒ jiào Sīmǎ Fāng.	3. The girl's surname is: _____ And her first name is: _____

10   **Answer the following in Pinyin.**

1. 早！ Zǎo!

   ＿＿＿＿＿＿＿＿＿＿＿＿＿＿＿＿＿＿＿＿＿＿＿＿＿＿＿＿＿＿＿＿＿＿＿＿＿＿＿

2. 你好。 *Nǐ* hǎo.

   ＿＿＿＿＿＿＿＿＿＿＿＿＿＿＿＿＿＿＿＿＿＿＿＿＿＿＿＿＿＿＿＿＿＿＿＿＿＿＿

3. 你叫什么名字？ Nǐ jiào shén.me míng.zì?

   ＿＿＿＿＿＿＿＿＿＿＿＿＿＿＿＿＿＿＿＿＿＿＿＿＿＿＿＿＿＿＿＿＿＿＿＿＿＿＿

11   **Write a greeting card to introduce yourself to the classmate sitting next to you. The card should include your Chinese name and the way to contact you. Don't forget to ask his/her name. Give it some design to make it stylish!**

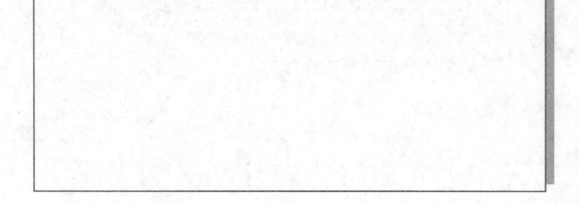

Unit 1 Lesson B

1 How do you greet your friends at the following times?

1.   2.   3.   4.

_____   _____   _____   _____

2 Write the Pinyin and English meaning for each word.

1. 不太好   _____ _____

2. 不错   _____ _____

3. 一会儿见   _____ _____

4. 好久不见   _____ _____

5. 你好吗   _____ _____

6. 很好   _____ _____

7. 再见   _____ _____

8. 校长   _____ _____

3 Change the following sentences into questions by using 吗 *ma*. Follow the model.

Li.zi: 我是王老师。　Wǒ shì Wáng lǎoshī.

你是王老师吗？　Nǐ shì Wáng lǎoshī .ma?

1. 我们上课。　Wǒ.men shàng-kè.

_____

2. 她是林小姐。　Tā shì Lín xiǎo.jiě.

_____

3. 张老师很好。　Zhāng lǎoshī hěn hǎo.

_____

4. 校长姓张。　Xiàozhǎng xìng Zhāng.

_____

4 What do you need to do at the following times? Use the pattern 得⋯了 *děi .le* and the clues provided to answer questions.

1. 3:00 P.M. (go home) _____

2. 7:00 A.M. (go to school) _____

3. 10:00 P.M. (go to sleep) _____

4. 1:00 P.M. (go to class) _____

5 Unscramble the words or phrases to make complete sentences. Follow the model.

Lì.zi: 他 tā / 好 hǎo / 不 bù / 太 tài

他不太好。 Tā bú tài hǎo.

1. 吗 ma / 上课 shàng-kè / 你 nǐ

   _____

2. 累 lèi / 我们 wǒ.men / 很 hěn

   _____

3. 得 děi / 睡觉 shuì-jiào / 了 le / 你 nǐ

   _____

6 Fill in the blanks with the appropriate words from the box.

1. 你很累 Nǐ hěn lèi _____?

2. _____不见 bú jiàn。

3. 我不太好 Wǒ bú tài hǎo，我 wǒ _____。

4. 王校长 Wáng xiàozhǎng _____不好 bù hǎo。

5. 你 Nǐ _____睡觉了 shuì-jiào .le。

> 很 hěn
>
> 好久 *hǎo* jiǔ
>
> 生病了 shēngbìng .le
>
> 吗.ma
>
> 得 děi

7 Decide if the statements are true or false. Correct any false statements.

1. In ancient China, people followed complex rules in greeting each other.

    _____

2. Smiling at another person or hugging was the way people in ancient China greeted each other.

    _____

3. The greeting 吃了吗 *chī .le .ma* developed because Chinese people pay a lot of attention to good food.

    _____

4. For the younger generation, they seldom use the greeting 吃了吗 *chī .le .ma* and say 你好 *Nǐ hǎo* instead.

    _____

8 Match each question or statement with the correct response from the right.

1. _____ 你累吗？ Nǐ lèi .ma?   A. 晚安。 Wǎn'ān.

2. _____ 晚上好。 Wǎnshàng hǎo.   B. 还行。 Hái xíng.

3. _____ 下午好吗？ Xiàwǔ hǎo .ma?   C. 不累。 Bú lèi.

4. _____ 我得睡觉了。 *Wǒ* děi shuì-jiào .le.   D. 再见。 Zàijiàn.

5. _____ 我得走了。 *Wǒ děi* zǒu .le.   E. 晚上好。 Wǎnshàng hǎo.

9 Choose the correct sentence from the right column to finish the dialogue on the left.

1. A: 你好，好久不见。 Nǐ hǎo, *hǎo* jiǔ bú jiàn.

    B: _____ 。

2. A: 我很好，你呢？ Wǒ hěn hǎo, nǐ .ne?

    B: _____ 。

3. A: _____吗 .ma?

    B: 我不太好。 Wǒ bú tài hǎo.

4. A: 你很累，你不回家吗？ Nǐ hěn lèi, nǐ bù huí-jiā .ma?

    B: 不回家 Bù huí-jiā, _____ 。

最近还行
Zuì jìn hái xíng

你生病了
Nǐ shēngbìng .le

我得上课了
Wǒ děi shàng-kè .le

好久不见
Hǎo jiǔ bú jiàn

10 Choose the best response for each dialogue.

1. _____

A: 好久不见。 *Hǎo* jiǔ bú jiàn.
B: a. 我很累。 *Wǒ* hěn lèi.
    b. 你得走了。 Nǐ *děi* zǒu .le.
    c. 好久不见。 *Hǎo* jiǔ bú jiàn.

2. _____

A: 我得走了。 *Wǒ děi* zǒu .le.
B: a. 你好。 *Nǐ* hǎo.
    b. 谢谢。 Xiè.x.
    c. 一会儿见。 Yíhuìr jiàn.

3. _____

A: 最近好吗？　Zuìjìn hǎo .ma?

B: a. 不太好。　Bú tài hǎo.

b. 我得走了。　*Wǒ děi* zǒu .le.

c. 早上好。　Zǎo.shàng hǎo.

4. _____

A: 李校长累吗？　Lǐ xiàozhǎng lèi .ma?

B: a. 不好。　Bù hǎo.

b. 不太累。　Bú tài lèi.

c. 很好。　*Hěn* hǎo.

11　Below are two text messages between Chen Hua and Zhang Fang. Read and answer the following questions.

陈华，我早上不去上课，下午去。 Chén Huá, wǒ zǎoshàng bú qù shàng-kè, xiàwǔ qù. 张芳 Zhāng Fāng

好的，下午见。 Hǎo.de, xiàwǔ jiàn.   陈华 Chén Huá

1. 张芳早上去上课吗？　Zhāng Fāng zǎoshàng qù shàng-kè .ma?

    _____

2. 张芳下午去上课吗？　Zhāng Fāng xiàwǔ qù shàng-kè .ma?

    _____

3. 陈华下午去上课吗？　Chén Huá xiàwǔ qù shàng-kè .ma?

    _____

12   Answer the following questions according to the picture on the left.

张老师
Zhāng lǎoshī

1. 他是林老师吗？   Tā shì Lín lǎoshī .ma?

_____

2. 他好吗？   Tā hǎo .ma?

_____

13   Write a text message in Pinyin to tell your classmate that you are not going to class because you are sick.

Unit 1 Lesson C

1 Fill in the blanks with the name of the country.

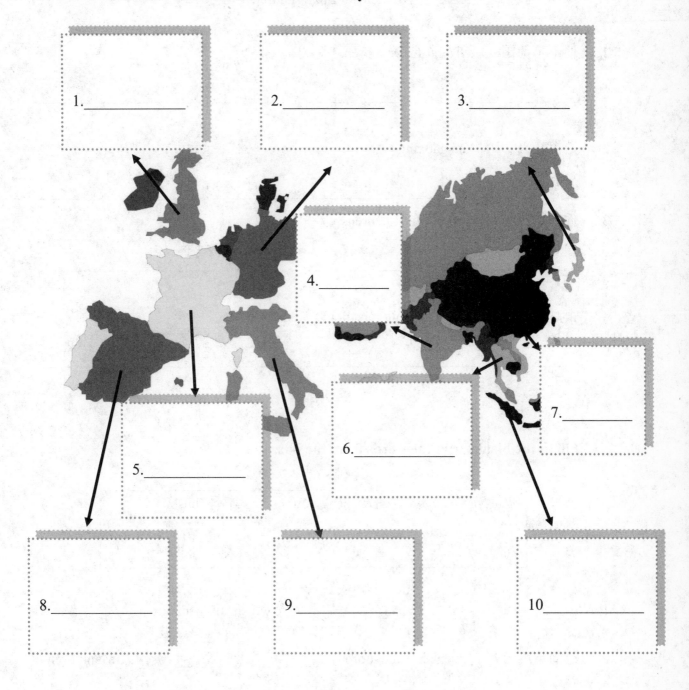

1. _____

2. _____

3. _____

4. _____

5. _____

6. _____

7. _____

8. _____

9. _____

10 _____

2 **Change the following sentences to the plural form.**

Lì.zi: 我是中国人。 Wǒ shì Zhōngguórén.
我们是中国人。 Wǒ.men shì Zhōngguórén.

1. 他不是德国人。 Tā búshì Déguórén.

   _____

2. 她很高兴。 Tā hěn gāoxìng.

   _____

3. 你也是日本人。 *Nǐ* yě shì Rìběnrén.

   _____

4. 很高兴认识你。 Hěn gāoxìng rèn.shì nǐ.

   _____

3 **Fill in the blanks with the words from the box.**

西班牙 Xībānyá	朋友 péng.yǒu	不是 búshì
我的 wǒ.de	也 yě	大家 dàjiā

1. _____ 好 hǎo，我是加拿大人 wǒ shì Jiā'nádàrén。

2. 他们是英国人 Tā.men shì Yīngguórén，_____ 美国人 Měiguórén。

3. 我认识印度 Wǒ rèn.shì Yìndù _____。

4. 王校长是 Wáng xiàozhǎng shì _____ 人 rén。

5. 我是新加坡人 Wǒ shì Xīnjiāpōrén，Paul _____ 是新加坡人 shì

   Xīnjiāpōrén。

6. _____ 朋友很高兴 péng.yǒu hěn gāoxìng。

4 Unscramble the words and phrases below to make complete sentences.

Lì.zi:　很 hěn ／ 老师 lǎoshī ／ 好 hǎo。
老师很好。　Lǎoshī *hěn* hǎo.

1. 也 yě ／ 我 wǒ ／ 加拿大 Jiā'nádà ／ 是 shì ／ 人 rén。

   _____

2. 我 wǒ ／ 日本人 Rìběnrén ／ 是 shì。

   _____

3. 哪国人 něi-guó rén ／ 是 shì ／ 你 nǐ ／ 请问 qǐngwèn?

   _____

4. 朋友 péng.yǒu ／ 我的 wǒ.de ／ 意大利 Yìdàlì ／ 是 shì ／ 人 rén。

   _____

5 Match each sentence on the left with the correct response on the right.

1. _____ 你是哪国人？
   Nǐ shì něi-guó rén?

   A. 你是中国人吗？
      Nǐ shì Zhōngguórén .ma?

2. _____ 他们的朋友姓什么？
   Tā.men.de péng.yǒu xìng shén.me?

   B. 我是法国人。
      Wǒ shì Fǎguórén.

3. _____ 他是西班牙人吗？
   Tā shì Xībānyárén .ma?

   C. 不是，他是意大利人。
      Bú.shì, tā shì Yìdàlìrén.

4. _____ 很高兴认识你。
   Hěn gāoxìng rèn.shì nǐ.

   D. 她姓张。
      Tā xìng Zhāng.

5. _____ 我叫林书芳。
   Wǒ jiào Lín Shūfāng.

   E. 我也很高兴认识你。
      Wǒ yě hěn gāoxìng rèn.shì nǐ.

6 Change the following sentences into questions. Make sure that the underlined part of the sentence given is the answer to the question. Follow the model.

Li.zi: 我是中文老师。 Wǒ shì Zhōngwén lǎoshī.
你是什么老师？ Nǐ shì shén.me lǎoshī?

1. 他是法国人。 Tā shì Fǎguórén.

   _____

2. 我姓高。 Wǒ xìng Gāo.

   _____

3. 她的名字叫<u>林书芳</u>。 Tā.de míng.zì jiào <u>Lín Shūfāng</u>.

    _____

4. 他们认识<u>新加坡</u>朋友。 Tā.mén rèn.shì <u>Xīnjiāpō</u> péng.yǒu.

    _____

7 Complete the following sentences using 也 *yě* and the information provided.

1. Paul 是西班牙人。 Paul shì Xībānyárén. (Freda)

    _____

2. Larry 姓 Brown。 Larry xìng Brown. (Kevin)

    _____

3. 她叫白华。 Tā jiào Bái Huá. (他 tā)

    _____

4. 我认识新加坡人。 Wǒ rèn.shì Xīnjiāpōrén. (张先生 Zhāng xiān.shēng)

    _____

5. 小林是日本人。 Xiǎolín shì Rìběnrén. (大国 Dàguó)

    _____

8 **Choose the correct phrase from the right to complete the dialogues on the left.**

1. **A:** 我是美国人。 Wǒ shì Měiguórén.

   B: 我 Wǒ ＿＿＿＿＿＿＿＿＿＿＿＿＿＿＿＿＿＿＿＿ 。

2. **A:** 你是 Nǐ shì ＿＿＿＿＿＿＿＿＿＿＿＿＿＿＿＿＿＿ ？

   B: 我是意大利人。Wǒ shì Yìdàlìrén.

3. **A:** 我是韩国人。 Wǒ shì Hánguórén.

   B: 我 Wǒ ＿＿＿＿＿＿＿＿＿＿＿＿＿＿＿＿＿＿＿＿ 。

4. **A:** 我的名字叫董军。 Wǒ.de míng.zì jiào Dǒng Jūn.

   B: ＿＿＿＿＿＿＿＿＿＿＿＿＿＿＿＿＿＿＿＿＿ 。

> 不是美国人
> búshì Měiguórén
>
> 也是韩国人
> yě shì Hánguórén
>
> 很高兴认识你
> hěn gāoxìng rèn.shì nǐ
>
> 哪国人
> něi-guó rén

9 **Answer the following questions.**

1. 你的老师是哪国人？ Nǐ.de lǎoshī shì něi-guó rén?

   ＿＿＿＿＿＿＿＿＿＿＿＿＿＿＿＿＿＿＿＿＿＿＿＿＿＿＿＿＿＿＿＿

2. Michael Jackson 是英国人吗？ Michael Jackson shì Yīngguórén .ma?

   ＿＿＿＿＿＿＿＿＿＿＿＿＿＿＿＿＿＿＿＿＿＿＿＿＿＿＿＿＿＿＿＿

3. 我是法国人，你呢？ Wǒ shì Fǎguórén, nǐ .ne?

   ＿＿＿＿＿＿＿＿＿＿＿＿＿＿＿＿＿＿＿＿＿＿＿＿＿＿＿＿＿＿＿＿

10   Correct the following sentences. Follow the model.

Li.zi: 我是美国。　Wǒ shì Měiguó.
我是美国人。　Wǒ shì Měiguórén.

1. 我是德国人，你是德国人也吗？　Wǒ shì Déguórén, nǐ shì Déguórén yě .ma?

   _____

2. 我们是马来西亚人，你吗？　Wǒ.mén shì Mǎláixīyàrén, nǐ .ma?

   _____

3. 他们是什么国人？　Tā.men shì shén.me guó rén?

   _____

4. 他认识法国人朋友。　Tā rèn.shì Fǎguórén péng.yǒu.

   _____

5. 我是中国人，他也是美国人。　Wǒ shì Zhōngguórén, tā yě shì Měiguórén.

   _____

11 Decide if the following statements are true or false. Correct any false ones.

1. _____ Chinese titles may affect a person's age, social standing, and gender.

   _____

2. _____ The literal meaning of China is "big country."

   _____

3. _____ During the Tang Dynasty, China influenced the Mideast's economic and social systems.

   _____

12 You want to friend a Chinese person on Facebook, so you write a brief introduction in Pinyin about yourself as you send the request. Make sure you greet them and then write your name and nationality.

13 The person to whom you wrote accepted your request and wrote you back. Write how this person might respond to you. For example, he or she greets you, states his or her nationality and says "Nice to meet you."

Unit 1 Lesson D

1 Classify the following subjects in the categories indicated in the diagram.

生物 shēngwù	历史 lìshǐ	化学 huàxué	法语 Fǎyǔ	体育 tǐyù
美术 měishù	音乐 yīnyuè	地理 dìlǐ	文学 wénxué	物理 wùlǐ
写作 xiězuò	数学 shùxué	中文 Zhōngwén	西班牙语 Xībānyáyǔ	计算机科学 jìsuànjī kēxué

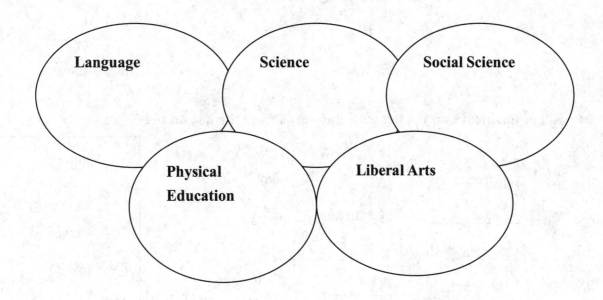

2 Match each sentence on the left with the correct response on the right.

1. ＿＿＿＿ 这是法语教室吗？

   Zhè shì Fǎyǔ jiàoshì .ma?

2. ＿＿＿＿ 他上化学课吗？

   Nǐ shàng huàxué kè .ma?

3. ＿＿＿＿ 他们上几年级？

   Tā.men shàng jǐ-niánjí?

A. 对，他上化学课。

   Duì, tā shàng huàxué kè

B. 不，这是地理教室。

   Bù, zhè shì dìlǐ jiàoshì.

C. 十年级。

   Shí-niánjí.

3 Fill in the blanks with the numbers in Chinese characters to complete the sequences.

1. 零, _____, 二, 三, _____, 五, _____, 七。

2. 十一, _____, 十五, _____, _____。

3. 二, _____, 六, _____, _____。

4. 十, _____, _____, _____, 五十。

5. 三十, _____, 九十。

6. 一, _____, 五, _____, _____。

4 Fill in the blanks on the left with the words from the box on the right.

1. 你们上 Nǐ.men shàng _____年级 niánjí?

2. 他 Tā _____ 物理课 wùlǐ kè。

3. 十二岁上六 Shí'èr-suì shàng liù _____。

4. 中文是 Zhōngwén shì _____。

5. 我十七岁 Wǒ shíqī-suì，我上 wǒ shàng _____。

6. 他是 Tā shì _____ 老师 lǎoshī。

7. 音乐课在 (zài; in) 音乐 Yīnyuè kè zài yīnyuè _____。

8. 中国的初中一年级是美国的 Zhōngguó .de chūzhōng yī-niánjí
   shì Měiguóde_____。

上 shàng
几 jǐ
数学 shùxué
年级 niánjí
教室 jiàoshì
外语 wàiyǔ
七年级 qī-niánjí
高中 gāozhōng

5 Unscramble the words or phrases to make complete sentences.

Li.zi: 很 hěn / 老师 lǎoshī / 好 hǎo。

老师很好。 Lǎoshī *hěn* hǎo.

1. 几 jǐ / 他 tā / 上 shàng / 年级 niánjí?

_____

2. 德语 Déyǔ / 他们 tā.men / 上 shàng / 也 yě。

_____

3. 哪国 něi-guó / 你 nǐ / 请问 qǐngwèn / 是 shì / 人 rén?

_____

4. 朋友 péng.yǒu / 我的 wǒ.de / 得 děi / 中文 Zhōngwén / 上 shàng / 了.le。

_____

5. 历史 lìshǐ / 他们 tā. men / 课 kè / 上 shàng。

_____

6. 中文 Zhōngwén / 是 shì / 林 Lín / 老师 lǎoshī / 你的 nǐ.de / 老师 lǎoshī。

_____

6 Change the following sentences into questions making sure that the underlined part is the answer to the question. Follow the model.

> **Li.zi:** 欧阳明上<u>九</u>年级。　Ōuyáng Míng shàng <u>jiǔ</u>-niánjí.
> 欧阳明上几年级。　Ōuyáng Míng shàng jǐ-niánjí?

1. 这是<u>中文</u>教室。　Zhè shì <u>Zhōngwén</u> jiàoshì.

＿＿＿＿＿＿＿＿＿＿＿＿＿＿＿＿＿＿＿＿＿＿＿＿＿＿＿＿＿＿＿＿＿＿＿

2. 我<u>十七</u>岁。　Wǒ <u>shíqī</u>-suì.

＿＿＿＿＿＿＿＿＿＿＿＿＿＿＿＿＿＿＿＿＿＿＿＿＿＿＿＿＿＿＿＿＿＿＿

3. 小林上<u>法语</u>课。　Xiǎo Lín shàng <u>*Fǎyǔ*</u> kè.

＿＿＿＿＿＿＿＿＿＿＿＿＿＿＿＿＿＿＿＿＿＿＿＿＿＿＿＿＿＿＿＿＿＿＿

4. <u>对</u>，我是日本人。　<u>Duì</u>, wǒ shì Rìběnrén.

＿＿＿＿＿＿＿＿＿＿＿＿＿＿＿＿＿＿＿＿＿＿＿＿＿＿＿＿＿＿＿＿＿＿＿

7 What class are you in at the following times? Write the name of the class in the space provided.

1. Monday, 9:00 A.M.　＿＿＿＿＿＿＿＿＿＿＿＿＿

2. Wednesday, 9:40 A.M.　＿＿＿＿＿＿＿＿＿＿＿＿

3. Friday, 10:30 A.M.　＿＿＿＿＿＿＿＿＿＿＿＿

8 **Answer the following questions based on the picture.**

1. 他们几岁？ Tā.men jǐ-suì?

    _____

2. 他们上高中二年级，对不对？
    Tā.men shàng gāozhōng èr-niánjí, duì bú duì?

    _____

9 **Decide if the following statements are true or false. Correct any false ones.**

1. _____ The compulsory education in China has been nine years since 1986.

    _____

2. _____ The most popular foreign language in high schools in China is Japanese.

    _____

3. _____ Children ages two to six can receive free preschool education in kindergarten.

    _____

10   Answer the following questions in Pinyin.

1. 你上几年级？   Nǐ shàng jǐ-niánjí?

   _____

2. 你几岁？   *Nǐ* jǐ-suì?

   _____

3. 你上什么外语课？   Nǐ shàng shén.me wàiyǔ kè?

   _____

4. 你的学校有什么外语课？   Nǐ.de xuéxiào yǒu shén.me wàiyǔ kè?

   _____

5. 你上西班牙语吗？   Nǐ shàng Xībānyáyǔ .ma?

   _____

6. 你的老师不是美国人，对不对？   Nǐ.de lǎoshī bú shì Měiguórén, duì bú duì?

   _____

Unit 2 Lesson A

1 Complete the diagram below and answer the questions that follow.

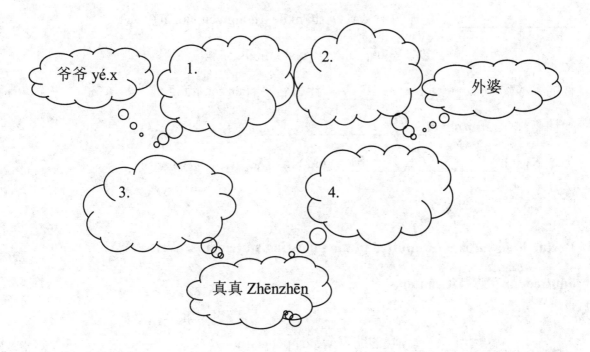

1. 真真有爷爷奶奶吗？　Zhēnzhēn yǒu yé.x nǎi.x .ma?

    _____

2. 真真家有几口人？　Zhēnzhēn jiā *yǒu jǐ*-kǒu rén?

    _____

3. 真真家有什么人？　Zhēnzhēn jiā yǒu shén.me rén?

    _____

2 Fill in the blanks with the words from the box.

＿＿＿＿＿＿＿＿＿＿＿＿＿＿＿＿＿＿＿＿＿＿＿＿＿＿
叫 jiào   谁 shéi   哪 nǎ   我的 wǒ.de   爸爸妈妈 bà.x mā.x
＿＿＿＿＿＿＿＿＿＿＿＿＿＿＿＿＿＿＿＿＿＿＿＿＿＿

1. ＿＿＿＿＿＿＿＿＿是你的中文老师 shì nǐ.de Zhōngwén lǎoshī?

2. ＿＿＿＿＿＿＿＿＿宠物是兔子 chǒngwù shì tù.zi。

3. 你的鸟 Nǐ.de niǎo＿＿＿＿＿＿＿＿什么名字 shén.me míng.zì?

4. 他们是你 Tā.men shì nǐ＿＿＿＿＿＿＿＿吗.ma?

5. 你是 Nǐ shì＿＿＿＿＿＿＿＿国人 guó rén?

3 Decide if 的 *de* can be omitted in the following statements. Write "Y" if it can be omitted, or "N" if it cannot.

1. ＿＿＿＿＿＿＿＿＿ 我的朋友 wǒ.de péng.yǒu

2. ＿＿＿＿＿＿＿＿＿ 他们的老师 tā.men.de lǎoshī

3. ＿＿＿＿＿＿＿＿＿ 我的兔子 wǒ.de tù.zi

4. ＿＿＿＿＿＿＿＿＿ 你的妈妈 nǐ.de mā.x

5. ＿＿＿＿＿＿＿＿＿ 白苹的生日 Bái Píng .de shēngrì

4 The underlined part is unknown. Change the following sentences into questions. Follow the model.

Li.zi: 她是我姐姐。Tā shì *wǒ* jiě.x.
谁是你姐姐？Shéi shì *nǐ* jiě.x?

1. 他们是我爸爸妈妈。Tā.men shì wǒ bà.x mā.x.

   _____

2. 这个人是我哥哥。Zhèi-.ge rén shì wǒ gē.x.

   _____

3. 方老师是我的中文老师。Fāng lǎoshī shì wǒ.de Zhōngwén lǎoshī.

   _____

4. 那个人是我们的朋友。Nèi-.ge rén shì wǒ.men.de péng.yǒu.

   _____

5. 我的猫叫胖胖。Wǒ.de māo jiào Pàngpàng.

   _____

6. 她的奶奶八十岁。Tā.de nǎi.x bā.shí-suì.

   _____

5 Unscramble the words or phrases to make complete sentences.

`Lì.zi:` 姐姐 jiě.x / 我 wǒ / 是 shì / 这 zhè
这是我姐姐 Zhè shì *wǒ* jiě.x。

1. 谁 shéi / 是 shì / 你们 nǐ.men

   _____

2. 他们 tā.men / 狗 gǒu / 小 xiǎo / 的 de / 很 hěn

   _____

3. 猫 māo / 的 de / 叫 jiào / 妹妹 mèi.x / 小可爱 *Xiǎo*kě'ài

   _____

4. 爸爸 bà.x / 是 shì / 我 wǒ / 这 zhè / 妈妈 mā.x

   _____

5. 是 shì / 宠物 chǒngwù / 的 de / 鱼 yú / 我 wǒ

   _____

6 Correct the following sentences.

Li.zi: 谁是这 Shéi shì zhè?
这是谁 Zhè shì shéi?

1. 这是他猫吗？Zhè shì tā māo .ma?

   _____

2. 谁是那个人？Shéi shì nèi-.ge rén?

   _____

3. 它的名字大可爱。Tā.de míng.zi Dàkě'ài.

   _____

4. 宠物是我的猫。Chǒngwù shì wǒ.de māo.

   _____

7 **Fill in the blanks based on what you learned from the Culture Window.**

1. The most welcomed pets for Chinese people are _____ and

   _____.

2. The most common pets in ancient China were _____, _____,

   _____ and _____.

3. In ancient China, horses were not kept as companions, but used for _____, and

   koi fish for symbolizing _____ in the family.

8 **Match each sentence with the correct response from the box.**

> A. 对，那是我的狗 Duì, nà shì wǒ.de gǒu。
> B. 不是，这是我哥哥 Búshì, zhè shì wǒ gē.x。
> C. 那是我的老师 Nà shì wǒ.de lǎoshī。
> D. 她是西班牙人 Tā shì Xībānyárén。

1. _____   那是谁？Nà shì shéi?

2. _____   那是你的宠物，对不对？Nà shì nǐ.de chǒngwù, duì bú duì?

3. _____   谁是西班牙人？Shéi shì Xībānyárén?

4. _____   这是你爸爸吗？Zhè shì nǐ bà.x .ma?

9 Answer the following questions.

1. 你的爸爸妈妈多大？Nǐ.de bà.x mā.x duó dà?

   _____

2. 你有宠物吗？*Nǐ yǒu* chǒngwù .ma? 它叫什么名字？Tā jiào shén.me míng.zì?

   _____

3. 你喜欢鸟吗？*Nǐ* xǐ.huān niǎo .ma?

   _____

4. 你的爷爷、奶奶多大年纪？Nǐ.de yé.x nǎi.x duó dà niánjì?

   _____

5. 你的外公、外婆叫什么名字？Nǐ .de wàigōng wàipó jiào shén.me míng.zì?

   _____

10 Create a family tree for your family or a famous family.

11　Write a small paragraph in Pinyin to describe your family. You can use the
presentation you did for Activity 15 in the textbook.

Unit 2 Lesson B

1 Fill in the blanks with the words from the box.

和 hé   口 kǒu   两 liǎng   几 jǐ

可是 kěshì   照片 zhàopiàn   没有 méiyǒu   什么 shén.me

1. 我有 Wǒ yǒu _____ 个妹妹.ge mèi.x ，一个弟弟 yí-.ge dì.x。

2. 你有 Nǐ yǒu _____ 只狗 zhī gǒu?

3. 你家有几 Nǐ jiā yǒu jǐ _____ 人 rén?

4. 我是独生女 Wǒ shì dúshēngnǚ，我 wǒ _____ 兄弟姐妹 xiōngdì-jiěmèi。

5. 你有你奶奶的 Nǐ yǒu nǐ nǎi.x .de _____ 吗.ma?

6. 我家有爸爸 Wǒ jiā yǒu bà.x、妈妈 mā.x、哥哥 gē.x，_____ 我 wǒ。

7. 我有外公 Wǒ yǒu wàigōng，_____ 我没有外婆 wǒ méi.yǒu wàipó。

8. 他家有 Tā jiā yǒu _____ 人 rén?

2 Choose the correct answers to complete the dialogue.

1. ____ **A:** 你有几个兄弟姐妹？ Nǐ yǒu jǐ-.ge xiōngdì jiěmèi?
   B: a. 我是独生子。Wǒ shì dúshēngzǐ.
   b. 我没有弟弟。Wǒ méi.yǒu dì.x.
   c. 我家有四口人。Wǒ jiā yǒu sì-kǒu rén.

2. ____ **A:** 你家有几口人？ Nǐ jiā yǒu jǐ-kǒu rén?
   B: a. 我没有弟弟。Wǒ méi.yǒu dì.x.
   b. 我家有三口人。Wǒ jiā yǒu sān-kǒu rén.
   c. 我家有爸爸、妈妈、姐姐，和我。Wǒ jiā yǒu bà.x, mā.x, jiě.x, hé wǒ.

3. ＿＿＿ **A:** 你有宠物吗？ *Nǐ yǒu* chǒngwù .ma?

     B: a. 我没有兔子。Wǒ méiyǒu tù.zi.

         b. 我没有宠物。Wǒ méiyǒu chǒngwù.

         c. 我有狗和猫。*Wǒ yǒu* gǒu hé māo.

4. ＿＿＿ **A:** 你有哥哥吗？ *Nǐ* yǒu gē.x .ma?

     B: a. 我没有姐姐。Wǒ méiyǒu jiě.x.

         b. 我有兄弟姐妹。*Wǒ* yǒu xiōngdì jiěmèi.

         c. 我没有哥哥，可是我有姐姐。Wǒ méiyǒu gē.x, kě.shì *wǒ yǒu* jiě.x.

5. ＿＿＿ **A:** 你有笔吗？ *Nǐ yǒu* bǐ .ma?

     B: a. 我没有笔。Wǒ méiyǒu bǐ.

         b. 我也没有纸。*Wǒ* yě méiyǒu zhǐ.

         c. 我也没有笔。*Wǒ* yě méiyǒu bǐ.

3 Complete the dialogues according to the picture.

我没有兄弟姐妹，我是独生子 Wǒ méiyǒu xiōngdì jiěmèi, wǒ shì dúshēngzǐ.

＿＿＿＿＿＿＿＿？

我也没有兄弟姐妹 Wǒ yě méiyǒu xiōngdì jiěmèi.

＿＿＿＿＿＿＿＿。

4 **Write the number and correct measure word in Chinese for the items. Follow the model.**

Li.zi:

_____一_____ , _____个_____

1.

_____ , _____

2.

_____ , _____

3.

_____ , _____

4.

_____ , _____

5.

_____ , _____

6.

_____ , _____

7.

_____ , _____

8.

_____ , _____

9.

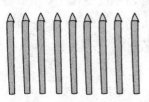

_____ , _____

5 Correct each sentence. Follow the model.

Li.zi: 我不有宠物。　　Wǒ bù yǒu chǒngwù.

我没有宠物。　　Wǒ méiyǒu chǒngwù.

1. 你家有什么口人？　　Nǐ jiā yǒu shén.me kǒu rén?

_____

2. 我有七只书。　　*Wǒ* yǒu qī-zhī shū.

_____

3. 可是我有哥哥，我没有姐姐。　　Kěshì *wǒ* yǒu gē.x, wǒ méiyǒu jiě.x.

_____

4. 什么人你家有？　　Shén.me rén nǐ jiā yǒu?

_____

5. 他们家有二只猫。　　Tā.men jiā *yǒu* èr-zhī māo.

_____

6. 我有三支笔，和我也有三张纸。　　*Wǒ* yǒu sān-zhī bǐ, hé *wǒ yě* yǒu sān-zhāng zhǐ.

_____

6 Unscramble the words or phrases to make complete sentences.

Lì.zi: 姐姐 jiě.x / 我 wǒ / 是 shì / 这 zhè

这是我姐姐。Zhè shì *wǒ* jiě.x.

1. 你 nǐ / 这 zhè / 吗 ma / 鞋 xié / 是 shì / 的 de

＿＿＿＿＿＿＿＿＿＿＿＿＿＿＿＿＿＿＿＿＿＿＿＿＿＿

2. 只 zhǐ / 两 liǎng / 有 yǒu / 我 wǒ / 猫 māo

＿＿＿＿＿＿＿＿＿＿＿＿＿＿＿＿＿＿＿＿＿＿＿＿＿＿

3. 吗 ma / 你的 nǐ.de / 家人 jiārén / 他们 tā.men / 是 shì

＿＿＿＿＿＿＿＿＿＿＿＿＿＿＿＿＿＿＿＿＿＿＿＿＿＿

7 Fill in the blanks based on what you learned from the Culture Window.

1. For family members of the same generation on the mother's side or children of one's father's sisters, the word ＿＿＿＿＿＿＿ is added to the word that describes a sibling. For children of one's father's brothers, the word ＿＿＿＿＿＿＿ is added.

2. Sons of a brother are known as ＿＿＿＿＿＿＿ and nieces are ＿＿＿＿＿＿＿. Sons of a person's sister are ＿＿＿＿＿＿＿ and daughters of a person's sister are ＿＿＿＿＿＿＿.

8 **Answer the following questions in Pinyin based on your own situation.**

1. 你家有几口人 Nǐ jiā *yǒu jǐ*-kǒu rén?

   _____

2. 你家有什么人 Nǐ jiā yǒu shén.me rén?

   _____

3. 你是独生子 Nǐ shì dúshēngzǐ / 独生女吗 dúshēngnǚ .ma?

   _____

4. 你有几个兄弟姐妹 *Nǐ yǒu* jǐ-.ge xiōngdì jiěmèi?

   _____

5. 你有几本中文书 *Nǐ yǒu jǐ*-běn Zhōngwén shū?

   _____

Unit 2 Lesson C

1 Write the dates in Chinese on the line. Follow the model.

Li.zi:

 _____八月十二号_____

1._____　　2._____　　3._____

4._____　　5._____　　6._____

2 **Translate the following telephone numbers into Arabic numbers. Follow the model.**

	名字	电话号码	电话号码
Lì.zì:	Lily	一三零七八九四六五三八 yī sān líng qī bā jiǔ sì liù wǔ sān bā	130-789-46538
1.	Andy	一三九五七八一二三五六 yī sān *jiǔ* wǔ qī bā yī èr sān wǔ liù	_____
2.	Nora	一五九二二七六三五九八 yī *wǔ* jiǔ èr èr qī liù sān *wǔ* jiǔ bā	_____
3.	Mickey	一三一四三六七零三五六 yī sān yī sì sān liù qī líng sān wǔ liù	_____
4.	Edie	一三七六四八七二一零五 yī sān qī liù sì bā qī èr yī líng wǔ	_____
5.	Bob	一三四七五二九六零零八 yī sān sì qī wǔ èr jiǔ liù líng líng bā	_____

3 **Fill in the blanks with the numbers in Chinese characters to complete the sequences.**

1. 二十一 èr.shíyī, _____, 二十三 èr.shísān, 二十四 èr.shísì,

   _____, _____, _____。

2. 四 sì, _____, 二十四 èr.shísì, _____, 四十四 sì.shísì,

   五十四 wǔ.shísì, 六十四 liù.shísì。

3. 九十一 jiǔ.shíyī, _____, 九十五 jiǔ.shíwǔ, _____,

    _____, _____。

4. 五十四 wǔ.shísì, 五十五 wǔ.shíwǔ, _____, _____,

    五十八 wǔ.shíbā, _____。

5. 七十三 qī.shísān, _____, 八十一 bā.shíyī, 八十五 bā.shíwǔ,

    _____, _____, 九十七 jiǔ.shíqī。

6. 六十六 liù.shíliù, _____, 七十二 qī.shí'èr, _____,

    _____, _____。

4 Match each sentence below with the correct response from the box.

A. 不是。bú shì.	D. 三十号。sān.shí-hào.
B. 十二月。Shí'èryuè.	E. 八月十九日。Bāyuè shíjiǔ rì.
C. 我没有他的电话号码。	F. 我也有手机。*Wǒ yě yǒu* shǒujī.
Wǒ méiyǒu tā.de diànhuà hàomǎ.	

1. _____ 今天几号？ Jīntiān jǐ-hào?

2. _____ 这个月是几月？ Zhèi-.ge yuè shì jǐ-yuè?

3. _____ 我有手机，你呢？ Wǒ yǒu shǒujī, nǐ .ne?

4. _____ 这是你的手机吗？ Zhè shì nǐ.de shǒujī .ma?

5. _____ 他的生日是几月几日？ Tā.de shēngrì shì jǐ-yuè jǐ-rì?

6. _____ 你有他的电话号码吗？ Nǐ yǒu tā.de diànhuà hàomǎ .ma?

5 **Answer the questions according to the picture.**

1. 他几岁？Tā jǐ-suì?

    _____

2. 他的生日是几月几号？Tā.de shēngrì shì jǐ-yuè jǐ-hào?

    _____

3. 他有几张卡片？Tā *yǒu* jǐ-zhāng kǎpiàn?

    _____

4. 他有几个礼物？Tā *yǒu* jǐ-.ge lǐwù?

    _____

6 Write the names of your favorite eight singers or bands on the lines below. Next to the blanks are the dates that the singers or bands will appear at the radio station. Write their names on your calendar.

_____ 二月十五号 Èryuè shíwǔ hào

_____ 二月六号 Èryuè liù hào

_____ 二月二十八号 Èryuè èr.shíbā hào

_____ 二月十号 Èryuè shí hào

_____ 二月十九号 Èryuè shíjiǔ hào

_____ 二月三号 Èryuè sān hào

_____ 二月十一号 Èryuè shíyī hào

_____ 二月二十四号 Èryuè èr.shísì hào

Your Calendar

星期一 Xīngqīyī	星期二 Xīngqī'èr	星期三 Xīngqīsān	星期四 Xīngqīsì	星期五 Xīngqīwǔ	星期六 Xīngqīliù	星期日 Xīngqīrì
1	2	3	4	5	6	7
8	9	10	11	12	13	14
15	16	17	18	19	20	21
22	23	24	25	26	27	28

7 Write the corresponding question to each answer given.

1. **Q:** ＿＿＿＿＿＿＿＿＿＿＿＿＿＿＿＿＿＿＿＿＿＿＿＿＿＿＿＿＿＿＿＿

   A: 董太太的生日是一月一号。Dǒng tài.x .de shēngrì shì Yīyuè yī hào.

2. **Q:** ＿＿＿＿＿＿＿＿＿＿＿＿＿＿＿＿＿＿＿＿＿＿＿＿＿＿＿＿＿＿＿＿

   A: 我的电话号码是 5798632。Wǒ.de diànhuà hàomǎ shì wǔ qī jiǔ bā liù sān èr.

3. **Q:** ＿＿＿＿＿＿＿＿＿＿＿＿＿＿＿＿＿＿＿＿＿＿＿＿＿＿＿＿＿＿＿＿

   A: 我有手机。*Wǒ yǒu* shǒujī.

4. **Q:** ＿＿＿＿＿＿＿＿＿＿＿＿＿＿＿＿＿＿＿＿＿＿＿＿＿＿＿＿＿＿＿＿

   A: 她的手机号码是 098652898。Tā.de shǒujī hàomǎ shì líng jiǔ bā liù wǔ èr bā jiǔ bā.

8 Fill in the blanks based on what you learned from the Culture Window.

1. The most important birthday is the child's ＿＿＿＿＿＿＿＿ birthday.

2. In the event 抓周 *zhuāzhōu*, if a child grabs an abacus, it means he or she may become a

   successful ＿＿＿＿＿＿＿.

3. The major telecom operators in China are ＿＿＿＿＿＿＿, ＿＿＿＿＿＿＿,

   ＿＿＿＿＿＿＿.

9 Answer the following questions.

1. 今天是几月几号？Jīntiān shì jǐ-yuè jǐ-hào?

   _____

2. 你的生日是几月几号？Nǐ.de shēngrì shì jǐ-yuè jǐ-hào?

   _____

3. 万圣节是几月几号？Wànshèngjié shì jǐ-yuè jǐ-hào?

   _____

4. 圣诞节是几月几号？Shèngdànjié shì jǐ-yuè jǐ-hào?

   _____

5. 你有手机吗？*Nǐ yǒu* shǒujī .ma?

   _____

6. 你的电话号码是多少？Nǐ.de diànhuà hàomǎ shì duōshǎo?

   _____

Unit 2 Lesson D

1 Draw a line from each activity picture to its corresponding name.

1.

A. 冰球 bīngqiú

B. 棒球 bàngqiú

C. 篮球 lánqiú

D. 游泳 yóuyǒng

E. 足球 zúqiú

F. 电子游戏
diànzǐ yóuxì

2.

3.

4.

5.

6.

2 Fill in the blanks with the correct verbs for each activity.

1. _____ 书 shū   2. _____ 画 huà

3. _____ 歌 gē   4. _____ 网 wǎng

5. _____ 舞 wǔ   6. _____ 足球 zúqiú

7. _____ 字 zì   8. _____ 电视 diànshì

9. _____ 泳 yǒng   10. _____ 音乐 yīnyuè

11. _____ 街 jiē   12. _____ 电子游戏 diànzǐ yóuxì

3 How would you answer the question 你喜欢做什么 *Nǐ xǐ.huān zuò shén.me*? Choose your top five favorite activities from the previous activity to complete the following sentences.

1. 我喜欢 *Wǒ* xǐ.huān _____。

2. 我喜欢 *Wǒ* xǐ.huān _____。

3. 我喜欢 *Wǒ* xǐ.huān _____。

4. 我喜欢 *Wǒ* xǐ.huān _____。

5. 我喜欢 *Wǒ* xǐ.huān _____。

4 Use the pattern *V 不 bù/bú V* to rewrite the following questions.

Li.zi: 姐姐听音乐吗？Jiě.x tīng-yīnyuè .ma?
姐姐听不听音乐？Jiě.x tīng bù tīng yīnyuè?

1. 她是德国人吗？Tā shì Déguórén .ma?

_____

2. 你逛街吗？*Nǐ* guàngjiē .ma?

_____

3. 他们打篮球吗？Tā.men dǎ-lánqiú .ma?

_____

4. 爸爸看法国电影吗？Bà.x kàn Fǎguó diànyǐng .ma?

_____

5. 她们喜欢画画吗？Tā.men xǐ.huān huà.x .ma?

_____

6. 哥哥看中文书吗？Gē.x kàn Zhōngwén shū .ma?

_____

5 **Your friends don't know what you can do together tomorrow. Give each of them a suggestion with the hints provided and the particle 吧 *ba*. Follow the model.**

Li.zi: Lydia (看电影 kàn-diànyǐng)
我们一起看电影吧！Wǒ.men yìqǐ kàn-diànyǐng .ba!

1. Aaron (踢足球 tī-zúqiú)

   You: _____

2. Judy (逛街 guàngjiē)

   You: _____

3. George (唱歌 chàng-gē)

   You: _____

4. Henry (游泳 yóuyǒng)

   You: _____

5. Sherry (跳舞 tiào-wǔ)

   You: _____

6 This is the Chinese classroom bulletin board. Read the descriptions and answer the questions.

小红 Xiǎohóng	杨凡 Yáng Fán	林文 Lín Wén	张英 Zhāng Yīng
我喜欢逛街、跳舞 *Wǒ* xǐ.huān guàng-jiē, tiào-wǔ。	我喜欢看书、打棒球 *Wǒ* xǐ.huān kàn-shū, dǎ-bàngqiú。	我喜欢逛街、画画 *Wǒ* xǐ.huān guàng-jiē, huà.x。	我喜欢唱歌、打篮球 *Wǒ* xǐ.huān chàng-gē, dǎ-lánqiú。

1. If you like basketball, who can you hang out with?

    _____

2. If you want to go shopping, who can you go with?

    _____

7 Fill in the blanks based on what you learned from the Culture Window.

1. _____ introduced basketball to the Chinese in 1895.

2. Yao Ming's home town is _____.

3. In _____, Yao was drafted by Houston Rockets.

4. Yao played in NBA for _____ seasons and retired in _____.

8 Answer the following questions.

1. 你喜欢唱歌吗？ *Nǐ* xǐ.huān chàng-gē .ma?

   _____

2. 你听不听音乐？ Nǐ tīng bù tīng yīnyuè?

   _____

3. 你喜欢看电影吧？ *Nǐ* xǐ.huān kàn-diànyǐng .ba?

   _____

4. 你的兄弟姐妹喜欢做什么？ Nǐ.de xiōngdì jiěmèi xǐ.huān zuò shén.me?

   _____

5. 你明天打不打篮球？ Nǐ míngtiān dǎ bù dǎ lánqiú?

   _____

6. 你爸妈说不说中文？ Nǐ bàmā shuō bù shuō Zhōngwén?

   _____

Unit 3 Lesson A

1 **Look at the picture and describe the locations of the following items.**

Lì.zi: 讲台 jiǎngtái

讲台在教室前面。Jiǎngtái zài jiàoshì qián.miàn.

OR 讲台在老师和学生中间。Jiǎngtái zài lǎoshī hé xué.shēng zhōngjiān.

OR 讲台在投影机下面。Jiǎngtái zài tóuyǐngjī xià.miàn.

1. 地图 dìtú： _____

2. 海报 hǎibào： _____

3. 板擦 bǎncā： _____

4. 光盘 guāngpán： _____

5. 背包 bēibāo： _____

6. 老师 lǎoshī： _____

7. 学生 xué.shēng： _____

8. 课本 kèběn： _____

9. 电脑 diànnǎo： _____

10. 桌子 zhuō.zi： _____

11. 投影机 tóuyǐngjī： _____

12. 白板笔 báibǎnbǐ： _____

13. CD 播放机 CD bōfàngjī： _____

2 Look at the arrows on the chair and fill in the location words from the box.

右边 yòu.biān   后面 hòu.miàn   下面 xià.miàn

前面 qián.miàn   上面 shàng.miàn   左边 zuǒ.biān

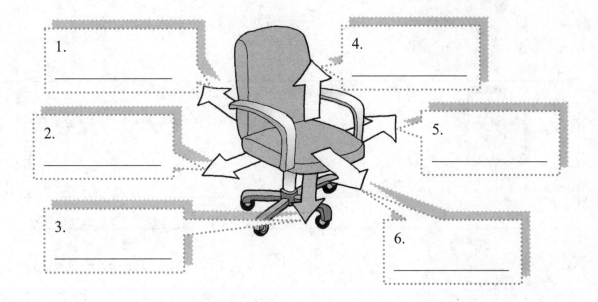

1. _____

2. _____

3. _____

4. _____

5. _____

6. _____

3 Fill in the blanks with the appropriate location word from the box.

中间 zhōngjiān   右边 yòu.biān   左边 zuǒ.biān

1. _____   2. _____   3. _____

4 Look at the pictures and decide if each statement is true or false. Correct any false statements.

	Li.zi: __F__ 书在背包前面。Shū zài bēibāo qián.miàn. 书在背包后面。Shū zài bēibāo hòu.miàn.
	_____ 1. 书在背包上面。Shū zài bēibāo shàng.miàn. _____
	_____ 2. 书在背包下面。Shū zài bēibāo xià.miàn. _____
	_____ 3. 书在背包外面。Shū zài bēibāo wài.miàn. _____
	_____ 4. 书在光盘和白板笔中间 Shū zài guāngpán hé báibǎnbǐ zhōngjiān。 _____

5 **Look at the family photo and answer the following questions.**

我

1. 爷爷在奶奶和爸爸中间吗？Yé.x zài nǎi.x hé bà.x zhōngjiān .ma?

    _____

2. 谁在妹妹后面？Shéi zài mèi.x hòu.miàn?

    _____

3. 爷爷前面是谁？Yé.x qián.miàn shì shéi?

    _____

4. 奶奶在哪儿？Nǎi.x zài nǎr?

    _____

5. 哥哥旁边是什么？Gē.x páng.biān shì shén.me?

    _____

6 **Answer the following questions.**

1. 你的背包在哪儿？Nǐ.de bēibāo zài nǎr? (when you are in class)

   _____

2. 你家前面有篮球场吗？Nǐ jiā qián.miàn yǒu lánqiúchǎng .ma?

   _____

3. 你家旁边是公园(*park*)吗？Nǐ jiā páng.biān shì gōngyuán .ma?

   _____

4. 在中文教室里，谁在你左边？谁在你右边？
   Zài Zhōngwén jiàoshì lǐ, shéi zài *nǐ* zuǒ.biān? Shéi zài nǐ yòu.biān?

   _____

7 **Choose the best answer to each question.**

1. _____ What are the two basic types of cram schools?

   A. talent and academic   B. sports and academic   C. talent and sports

2. _____ Compared to traditional schools, how is the atmosphere in talent schools?

   A. competitive   B. lively   C. casual

3. _____ Toward whom are language schools targeted?

   A. junior and senior high students   B. children and adults

   C. people of all ages

Unit 3 Lesson B

1 Write the following times in Chinese. Follow the model.

  早上

七点三十分

1.

_____

_____

2.

_____

_____

3.

_____

_____

4.

_____

_____

5.

_____

_____

6.

_____

_____

2 Fill in the blanks with words from the box below.

在 zài	半 bàn	还 hái	刻 kè	点 diǎn	给 gěi	能 néng	一起 yìqǐ

1. 现在几 Xiànzài jǐ ＿＿＿＿＿＿＿＿＿＿？

2. 你的背包 Nǐ.de bēibāo ＿＿＿＿＿＿＿＿家里吗 jiālǐ .ma?

3. 他借 Tā jiè＿＿＿＿＿＿＿＿他的同学篮球 tā.de tóngxué lánqiú。

4. 哥哥后天不 Gē.x hòutiān bù ＿＿＿＿＿＿＿＿去海边 qù hǎibiān。

5. 我要铅笔 Wǒ yào qiānbǐ,＿＿＿＿＿＿＿＿要圆珠笔 yào yuánzhūbǐ。

6. 周末我跟朋友 Zhōumò wǒ gēn péng.yǒu ＿＿＿＿＿＿＿＿看电影 kàn-diànyǐng。

7. 六点一 Liù-diǎn yī ＿＿＿＿＿＿＿＿是六点十五分 shì liù-diǎn shíwǔ-fēn。

8. 十一点 Shíyī-diǎn ＿＿＿＿＿＿＿＿是十一点三十分 shì shíyī-diǎn sān.shí-fēn。

3 Match the question on the left with the corresponding reply on the right.

1. ＿＿＿ 谢谢你。Xiè.x nǐ.   A. 对。Duì.

2. ＿＿＿ 现在几点？Xiànzài jǐ-diǎn?   B. 不客气。Bú kèqì.

3. ＿＿＿ 他几点打球？Tā jǐ-diǎn dǎ-qiú?   C. 两点半。Liǎng-diǎn bàn.

4. ＿＿＿ 给他们两张纸，好吗？   D. 当然可以。Dāngrán kěyǐ.

     Gěi tā.mén liǎng-zhāng zhǐ, hǎo .ma?

5. ＿＿＿ 我们可以一起看书吗？   E. 我没有纸。Wǒ méiyǒu zhǐ.

     Wǒ.men kěyǐ yìqǐ kàn-shū .ma?

6. ＿＿＿ 你能借给我课本，对不对？   F. 现在十二点。Xiànzài shí'èr-diǎn.

     Nǐ néng jiè gěi wǒ kèběn, duì bú duì?

4 Look at Li Wen's summer break schedule and answer the questions.

星期一	星期二	星期三	星期四	星期五
9:00 上中文课 shàng Zhōngwén kè	8:00 上英文课 shàng Yīngwén kè	10:30 画画 huà.x	10:00 上中文课 shàng Zhōngwén kè	9:30 借给小华电脑 jiè gěi Xiǎohuá diànnǎo
14:30 踢足球 tī-zúqiú	10:00 上网 shàngwǎng	16:40 跟哥哥打篮球 gēn gē.x dǎ -lánqiú	12:00 去海边游泳 qù hǎibiān yóuyǒng	16:15 踢足球 tī-zúqiú
18:00 跟奶奶吃饭 gēn nǎi.x chī- fàn	16:25 图书馆看书 túshūguǎn kàn- shū	19:00 看电影 kàn-diànyǐng	15:50 上网 shàngwǎng	19:00 玩电子游戏 wán-diànzǐ yóuxì

1. ____ 李文星期几上中文课？ Lǐ Wén xīngqī-jǐ shàng Zhōngwén kè?

    A. 星期一、星期二 Xīngqīyī, Xīngqī'èr

    B. 星期一、星期四 Xīngqīyī, Xīngqīsì

    C. 星期二、星期四 Xīngqī'èr, Xīngqīsì

2. ____ 李文星期二下午去哪儿？ Lǐ Wén Xīngqī'èr xià.wǔ qù nǎr?

    A. 海边 hǎibiān

    B. 篮球场 lánqiúchǎng

    C. 图书馆 túshūguǎn

3. ____ 李文星期五晚上做什么？ Lǐ Wén Xīngqī*wǔ* wǎn.shàng zuò shén.me?

    A. 上网 shàngwǎng

    B. 看电影 kàn-diànyǐng

    C. 玩电子游戏 wán-diànzǐ yóuxì

4. _____ 李文借什么给小华？ Lǐ Wén jiè shén.me *gěi* Xiǎohuá?

    A. 电脑 diànnǎo

    B. 足球 zúqiú

    C. 篮球 lánqiú

5. _____ 李文几点上英文课？ Lǐ Wén *jǐ*-diǎn shàng Yīngwén kè?

    A. 八点 bā-diǎn

    B. 九点 *jiǔ*-diǎn

    C. 十点 shí-diǎn

6. _____ 李文星期三上午做什么？ Lǐ Wén Xīngqīsān shàngwǔ zuò shén.me?

    A. 打球 dǎ-qiú

    B. 画画 huà.x

    C. 看书 kàn-shū

7. _____ 李文星期四中午在哪儿？ Lǐ Wén Xīngqīsì zhōngwǔ zài nǎr?

    A. 海边 hǎibiān

    B. 学校 xuéxiào

    C. 家里 jiālǐ

8. _____ 李文星期一晚上跟谁吃饭？ Lǐ Wén Xīngqīyī wǎn.shàng gēn shéi chī-fàn?

    A. 小华 Xiǎohuá

    B. 哥哥 gē.x

    C. 奶奶 nǎi.x

5 Use the words provided to make sentences with the verb 借给 *jiè gěi.*

Lì.zi: 哥哥 gē.x / 弟弟 dì.x / 数学课本 shùxué kèběn

哥哥借给弟弟数学课本。Gē.x jiè gěi dì.x shùxué kèběn.

1. 他 tā / 我 wǒ / 三张纸 sān-zhāng zhǐ

_____

2. 国明 Guómíng ／ 林天 Líntiān ／ 笔记本 bǐjìběn

＿＿＿＿＿＿＿＿＿＿＿＿＿＿＿＿＿＿＿＿＿＿＿＿＿＿

3. 王军 Wáng Jūn ／ 他的同学 tā.de tóngxué ／ 电脑 diànnǎo

＿＿＿＿＿＿＿＿＿＿＿＿＿＿＿＿＿＿＿＿＿＿＿＿＿＿

4. 李小姐 Lǐ xiǎo.jiě ／ 董先生 Dǒng xiān.shēng ／ CD 播放器 CD bōfàngqì

＿＿＿＿＿＿＿＿＿＿＿＿＿＿＿＿＿＿＿＿＿＿＿＿＿＿

6 Choose the best answer to each question.

1. ＿＿＿ What are the four treasures of the study?

   A. ink, inkstone, paper, and teacher   B. brush, paper, book, and teacher
   C. brush, ink, paper, and inkstone

2. ＿＿＿ Calligraphy has played an important role in which two fields?

   A. art and literature   B. literature and politics   C. art and economy

3. ＿＿＿ For using the four treasures of the study, which of the following statements is
   correct?

   A. Hairs of the brush need to be bent to absorb more ink.
   B. As with the brush, the inkstone also needs to be washed.
   C. After using the four treasures, it is better to dry them under the sun.

7 Answer the following questions.

1. 你明天可以打球吗？ Nǐ míngtiān *kěyǐ* dǎ-qiú .ma?

   _____

2. 你可以借给你的朋友你的电子游戏吗？
   Nǐ kěyǐ jiè gěi nǐ.de péng.yǒu nǐ.de diànzǐ yóuxì .ma?

   _____

3. 你可以给同学你的电话号码吗？
   Nǐ kěyǐ gěi tóngxué nǐ.de diànhuà hàomǎ .ma?

   _____

4. 今天是几月几号？
   Jīntiān shì jǐ-yuè jǐ-hào?

   _____

5. 现在几点？
   Xiànzài *jǐ*-diǎn?

   _____

8 **What do you carry in your backpack to school? Make a list.**

Unit 3 Lesson C

1 **Look at the schedule and decide if each statement is true or false. Correct any false statements.**

今天是星期三，这是李明这周的日历。

Jīntiān shì Xīngqīsān, zhè shì Lǐ Míng zhèi zhōu .de rìlì.

星期一	星期二	星期三	星期四	星期五
10:00 a.m. 历史考试 lìshǐ kǎoshì	2:00 p.m. 打篮球 dǎ-lánqiú	8:00 a.m. 游泳 yóuyǒng	4:00 p.m. 上中文课 shàng Zhōngwén kè	6:00 p.m. 去外婆家 qù wàipó jiā

1.　李明昨天下午三点打篮球。　Lǐ Míng zuótiān xià.wǔ sān-*diǎn* dǎ-lánqiú.

　　_____

2.　李明后天晚上去奶奶家。　Lǐ Míng hòu.tiān wǎn.shàng qù nǎi.x jiā.

　　_____

3.　李明这个星期有一个考试。　Lǐ Míng zhèi.ge xīngqī yǒu yí-.ge kǎoshì.

　　_____

4.　李明明天没有中文课。　Lǐ Míng míngtiān méiyǒu Zhōngwén kè.

　　_____

5.　李明今天晚上去游泳。　Lǐ Míng jīntiān wǎnshàng qù yóuyǒng.

　　_____

2 Answer the questions below according to the illustrations in the chart.

英文课 Yīngwén kè	中文课 Zhōngwén kè	数学课 shùxué kè	体育课 tǐyù kè

1. 英文课有意思吗? Yīngwén kè yǒu yì.sī .ma?

    _____

2. 中文课难吗? Zhōngwén kè nán .ma?

    _____

3. 数学课容不容易? Shùxué kè róng bù róngyì?

    _____

4. 体育课好不好玩儿? Tǐyù kè hǎo bù hǎowánr?

    _____

3 Choose the correct answer.

1. _____ **A:** 今天是星期六，后天是星期几？

   Jīntiān shì Xīngqīliù, hòutiān shì xīngqī jǐ?

   B: a. 星期二 Xīngqī'èr

   b. 星期一 Xīngqīyī

   c. 星期四 Xīngqīsì

2. _____ **A:** 你觉得中文课难吗？ Nǐ jué.de Zhōngwén kè nán .ma?

   B: a. 我今天上中文课。 Wǒ jīntiān shàng Zhōngwén kè.

   b. 今天的中文考试很难。 Jīntiān .de Zhōngwén kǎoshì hěn nán.

   c. 我觉得很难，可是很有意思。 Wǒ jué.de hěn nán, kě.shì *hěn* yǒu yì.sī.

3. _____ **A:** 你下星期一有考试吗？ Nǐ xià Xīngqīyī *yǒu* kǎoshì .ma?

   B: a. 考试很容易。 Kǎoshì hěn róngyì.

   b. 我不想考试。 Wǒ bù *xiǎng* kǎoshì.

   c. 我有三个考试。 *Wǒ* yǒu sān-.ge kǎoshì.

4. _____ **A:** 你星期几有数学课？ Nǐ xīngqī-*jǐ* yǒu shùxué kè?

   B: a. 我觉得数学课没有意思。

      Wǒ jué.de shùxué kè méiyǒu yì.sī.

   b. 我星期二和星期四有数学课。

      Wǒ Xīngqī'èr hé Xīngqīsì yǒu shùxué kè.

   c. 我星期三没有数学课。 Wǒ Xīngqīsān méiyǒu shùxué kè.

5. _____ **A:** 你明天下午去哪儿？ Nǐ míngtiān xiàwǔ qù nǎr?

   B: a. 我得走了。 *Wǒ* děi zǒu.le.

   b. 明天我不来学校。 Míngtiān wǒ bù lái xuéxiào.

   c. 我得去图书馆借书。 *Wǒ* děi qù túshūguǎn jièshū.

4 **Use the adverb 还 *hái* to combine the two sentences.**

1. 我有两个妹妹。我有一个弟弟。
   Wǒ yǒu liǎng-.ge mèi.x. Wǒ yǒu yí-.ge dì.x.

   _____

2. 他们昨天去打棒球。他们昨天去看电影。
   Tā.men zuótiān qù dǎ-bàngqiú. Tā.men zuótiān qù kàn-diànyǐng.

   _____

3. 奶奶有一只猫。奶奶有一只兔子。
   Nǎi.x yǒu yì-zhī māo. Nǎi.x yǒu yì-zhī tù.zi.

   _____

4. 我昨天有中文考试。我昨天有历史考试。
   Wǒ zuótiān yǒu Zhōngwén kǎoshì. Wǒ zuótiān yǒu lìshǐ kǎoshì.

   _____

5. 弟弟喜欢打篮球。弟弟喜欢游泳。
   Dì.x xǐ.huān dǎ-lánqiú. Dì.x xǐ.huān yóuyǒng.

   _____

6. 我们星期日看中国电影。我们星期日看法国电影。
   Wǒ.men Xīngqīrì kàn Zhōngguó diànyǐng. Wǒ.men Xīngqīrì kàn Fǎguó diànyǐng.

   _____

名字: _____ 日期: _____

5 Look at the following results of a survey on five school subjects. Answer the questions according to the chart.

	中文 Zhōngwén	历史 Lìshǐ	生物 Shēngwù	英文 Yīngwén	化学 Huàxué
难 nán	Mark, Isabelle		Mark	Ming, Frank	Ming
容易 róngyì	Ming	Isabelle	Roger, Frank	Zoe, Isabelle	
好玩儿 hǎowánr	Frank	Mark, Zoe		Roger	Isabelle
不好玩儿 bù hǎo wánr		Ming	Ming, Zoe		Roger
无聊 wúliáo		Frank		Mark	Mark, Frank
有意思 yǒu yì.sī	Joe		Lucy		

1. Who finds the Chinese class difficult?

   _____

2. How many people think the chemistry class is boring?

   _____

3. Who likes history class? Who doesn't like history class?

   _____

4. Who thinks biology class is not fun?

   _____

6 Choose the best answer.

1. ____ At what time is the first period of class?

   A. 7:00   B. 8:00   C. 9:00

2. ____ For what class do Chinese students usually change the classroom?

   A. English   B. Mathematics   C. Music

3. ____ What do Chinese students usually do for homeroom?

   A. take tests   B. talk to classmates   C. clean the classroom

7 Answer the following questions.

1. 你星期五有几堂课？ Nǐ Xīngqīwǔ *yǒu* jǐ-táng kè?

   _____

2. 你下个星期有考试吗？ Nǐ xià.ge xīngqī *yǒu* kǎoshì .ma?

   _____

3. 你昨天上什么课？ Nǐ zuótiān shàng shén.me kè?

   _____

4. 你星期几有中文课？ Nǐ xīngqī-*jǐ* yǒu Zhōngwén kè?

   _____

Unit 3 Lesson D

1 Draw a line from each activity picture to its corresponding name.

1.

A. 滑雪 huá-xuě

B. 健身 jiànshēn

C. 台球 táiqiú

D. 慢跑 mànpǎo

E. 冲浪 chōnglàng

F. 高尔夫 gāo'ěrfū

2.

3.

4.

5.

6.

真棒   Workbook   © EMC Publishing

2 Fill in the blank with the correct verb for each activity.

1. ＿＿＿＿＿＿＿＿ 雪 xuě	2. ＿＿＿＿＿＿＿＿ 台球 táiqiú
3. ＿＿＿＿＿＿＿＿ 排球 páiqiú	4. ＿＿＿＿＿＿＿＿ 自行车 zìxíngchē
5. ＿＿＿＿＿＿＿＿ 电视 diànshì	6. ＿＿＿＿＿＿＿＿ 高尔夫 gāo'ěrfū

3 Fill in the appropriate place word for each activity from the box below.

海边 hǎibiān	美术馆 měishùguǎn	篮球场 lánqiúchǎng
健身房 jiànshēnfáng	网球场 wǎngqiúchǎng	购物中心 gòuwù zhōngxīn

1. 我要去 Wǒ yào qù ＿＿＿＿＿＿＿＿＿＿＿＿＿＿买东西 mǎi dōng.xī。

2. 他在 Tā zài ＿＿＿＿＿＿＿＿＿＿＿＿＿打篮球 dǎ-lánqiú。

3. 你去 Nǐ qù ＿＿＿＿＿＿＿＿＿＿＿＿＿＿看画吗 kàn huà .ma？

4. 他们星期六去 Tā.men Xīngqīliù qù ＿＿＿＿＿＿＿＿＿＿＿冲浪 chōnglàng。

5. 李小姐去 Lǐ xiǎojiě qù ＿＿＿＿＿＿＿＿＿＿＿＿健身 jiànshēn。

6. 他们要去 Tā.men yào qù ＿＿＿＿＿＿＿＿＿＿＿＿打网球吗 dǎ-wǎngqiú .ma？

4 Match each sentence with the correct response from the box.

> A. 我不会滑雪。Wǒ bú huì huá-xuě.
>
> B. 我也要去海边。Wǒ yě yào qù hǎibiān.
>
> C. 不，我要去购物中心。Bù, wǒ yào qù gòuwù zhōngxīn.
>
> D. 对，我去那儿买背包。Duì, wǒ qù nàr mǎi bèibāo.
>
> E. 周末快乐！Zhōumò kuàilè!

1. _____   你要去博物馆吗？Nǐ yào qù bówùguǎn .ma?

2. _____   明天是星期六！Míngtiān shì Xīngqīliù!

3. _____   他周末要去海边游泳。Tā zhōumò yào qù hǎibiān yóuyǒng.

4. _____   我们一起去滑雪吧！Wǒ.men yìqǐ qù huá-xuě ba!

5. _____   你去购物中心买东西吗？Nǐ qù gòuwù zhōngxīn mǎi dōng.xī .ma?

5 Choose the best response to complete the dialogue.

1. _____   **A:** 你要去网球场吗？Nǐ yào qù wǎngqiúchǎng .ma?

   B: a. 我来网球场。Wǒ lái wǎngqiúchǎng.

   b. 我不去网球场。Wǒ bú qù wǎngqiúchǎng.

   c. 我不喜欢打网球。Wǒ bù xǐ.huān *dǎ*-wǎngqiú.

2. _____   **A:** 他星期日要来我家，你呢？Tā Xīngqīrì yào lái wǒ jiā, nǐ .ne?

   B: a. 我不去他家。Wǒ bú qù tā jiā.

   b. 我也要去你家。*Wǒ* yě yào qù nǐ jiā.

   c. 我星期日不在他家。Wǒ Xīngqīrì bú zài tā jiā.

3. _____   **A:** 我周末要去滑雪，你周末做什么？

   　　　　　Wǒ zhōumò yào qù huá-xuě, nǐ zhōumò zuò shén.me?

   B: a. 我要去慢跑。Wǒ yào qù mànpǎo.

   　　　 b. 我要跟你去打球。Wǒ yào gēn nǐ qù dǎ-qiú.

   　　　 c. 我还要去爷爷家。Wǒ hái yào qù yé.x jiā.

4. _____   **A:** 你们星期六去哪儿？Nǐ.men Xīngqīliù qù nǎr?

   B: a. 我们不在家。Wǒ.men bú zài jiā.

   　　　 b. 我们去公园。Wǒ.men qù gōngyuán.

   　　　 c. 我们不去学校。Wǒ.men bú qù xuéxiào.

5. _____   **A:** 他今天跟你们去美术馆吗？Tā jīntiān gēn nǐ.men qù měishùguǎn .ma?

   B: a. 对，他不去美术馆。Duì, tā bú qù měishùguǎn.

   　　　 b. 对，我们一起去美术馆。Duì, wǒ.men yìqǐ qù měishùguǎn.

   　　　 c. 对，他们今天去美术馆。Duì, tā.men jīntiān qù měishùguǎn.

6 Translate the following sentences using the preposition 跟 *gēn*.

1. Richard goes to the basketball court with Danny.

   _____

2. I go to the shopping center with my classmates today.

   _____

3. Grandmother watches television with her cats.

   _____

4. Grandfather played tennis with his friends yesterday afternoon.

_____

5. My parents are having a meal with Mr. Lin this weekend.

_____

7 Change the following affirmative sentences to negative sentences. Follow the model.

Li.zi: 妈妈跟姐姐去购物中心。Mā.x gēn jiě.x qù gòuwù zhōngxīn.
妈妈不跟姐姐去购物中心。Mā.x bù gēn jiě.x qù gòuwù zhōngxīn.

1. 我们跟他们打台球。Wǒ.men gēn tā.men dǎ-táiqiú.

_____

2. 哥哥跟弟弟玩电子游戏。Gē.x gēn dì.x wán-diànzǐ yóuxì.

_____

3. 爸爸今天晚上跟我们吃饭。Bà.x jīntiān wǎnshàng gēn wǒ.men chī-fàn.

_____

4. 林华跟我一起去学校。Lín Huá gēn wǒ yìqǐ qù xuéxiào.

_____

8 Choose the best answer.

1. ＿＿＿＿＿　　What is not provided in a KTV?

　　　　　　　　A. songs　　B. foods　　C. movies

2. ＿＿＿＿＿　　Which of the following statements is true about night markets?

　　　　　　　　A. They only sells foods.
　　　　　　　　B. Red lanterns are the symbol of night markets.
　　　　　　　　C. Unusual snacks can be found at some night markets.

3. ＿＿＿＿＿　　Which of the following features is not ture about night market?

　　　　　　　　A. They sell goods with higher price.
　　　　　　　　B. It's popular outdoor activity among teens.
　　　　　　　　C. Gui Jie is famous for its spicy crayfish.

4. ＿＿＿＿＿　　Which of the following statements is not true about parks in China?

　　　　　　　　A. People use parks as a place to work out in the morning.
　　　　　　　　B. People don't like to talk to each other when they exercise.
　　　　　　　　C. Parks can be a quiet place to do meditation.

9 Answer the following questions.

1. 你周末要做什么？Nǐ zhōumò yào zuò shén.me?

   _____

2. 你昨天跟你的同学去图书馆吗？Nǐ zuótiān gēn nǐ.de tóngxué qù túshūguǎn .ma?

   _____

3. 你星期几去打篮球？Nǐ xīngqī-jǐ qù dǎ-lánqiú?

   _____

4. 你跟谁打篮球？Nǐ gēn shéi dǎ-lánqiú?

   _____

5. 你明天要去学校吗？Nǐ míngtiān yào qù xuéxiào .ma?

   _____

6. 你同学星期五晚上要来你家吗？Nǐ tóngxué Xīngqīwǔ wǎnshàng yào lái nǐ jiā .ma?

   _____

Unit 4 Lesson A

1 Fill in the correct answers according to the pictures.

1. **A:** 你好！请问你要点什么？

   Nǐ hǎo! Qǐngwèn nǐ yào diǎn shén.me?

   B: 我要一个 Wǒ yào yí-.ge

   _____ 。

2. **A:** 你好！请问你要点什么？

   Nǐ hǎo! Qǐngwèn nǐ yào diǎn shén.me?

   B: 我要一个 Wǒ yào yí-.ge

   _____ 。

3. **A:** 你好！请问你要点什么？

   Nǐ hǎo! Qǐngwèn nǐ yào diǎn shén.me?

   B: 我要一个 Wǒ yào yí-.ge

   _____ 。

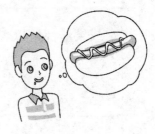

4. **A:** 你好！请问你要点什么？

   Nǐ hǎo! Qǐngwèn nǐ yào diǎn shén.me?

   B: 我要一个 Wǒ yào yí-.ge

   _____ 。

2 According to the answers, use 还是 *háishì* to ask the questions. Follow the model.

Lì.zi: **A:** 你要汉堡还是三明治？Nǐ yào hànbǎo háishì sānmíngzhì?

          B: 我要三明治。Wǒ yào sānmíngzhì.

1. **A:** _____ ?

     B: 小杯，谢谢。Xiǎo bēi, xiè.x.

2. **A:** _____ ?

     B: 我和妈妈去快餐店。Wǒ hé mā.x qù kuàicān diàn.

3. **A:** _____ ?

     B: 我要点大份的薯条。Wǒ yào diǎn dà fèn .de shǔtiáo.

4. **A:** _____ ?

     B: 汽水或果汁都可以。Qìshuǐ huò guǒzhī dōu kě.yǐ.

5. **A:** _____ ?

     B: 我喜欢早上喝咖啡。Wǒ xǐ.huān zǎo.shàng hē kāfēi.

6. **A:** _____ ?

     B: 我不喜欢游泳，可是我喜欢打网球。

         Wǒ bù xǐ.huān yóuyǒng, kě.shì wǒ xǐ.huān dǎ-wǎngqiú.

3 Use the words provided to make sentences with 一下 *yíxià*. Follow the model.

Lì.zi: 我想看这本书。*Wǒ* xiǎng kàn zhèi-běn shū.

我想看一下这本书。*Wǒ* xiǎng kàn yí.xià zhèi-běn shū.

1. 我要看电视。Wǒ yào kàn-diànshì.

_____

2. 哥哥想游泳。Gē.x xiǎng yóuyǒng.

_____

3. 我得写作业。*Wǒ děi* xiě-zuòyè.

_____

4. 姐姐想玩电子游戏。Jiě.x xiǎng wán diànzǐ yóuxì.

_____

5. 你可以跟我去图书馆吗？*Nǐ kěy*ǐ gēn wǒ qù túshūguǎn .ma?

_____

4 **For questions 1 through 3, answer the questions. For questions 4 through 6, write the questions.**

1. **Q:** 你要茶还是咖啡?

  Nǐ yào chá háishì kāfēi?

  A: _____ 。

2. **Q:** 你要果汁还是水?

  Nǐ yào guǒzhī háishì shuǐ?

  A: _____ 。

3. **Q:** 你要汽水还是咖啡?

  Nǐ yào qìshuǐ háishì kāfēi?

  A: _____ 。

4. **Q:** _____ ?

  A: 我要水。Wǒ yào shuǐ.

5. **Q:** _____ ?

  A: 我要汽水。Wǒ yào qìshuǐ.

6. **Q:** _____ ?

  A: 我要大杯。Wǒ yào dà bēi.

5 Decide if the following statements are true or false. Correct any false ones.

1. _____ The first fast food restaurant opened in China in 1990.

_____

2. _____ McDonald's is the most popular foreign chain in China.

_____

3. _____ Western chains have to change their menus to appeal eastern tastes.

_____

4. _____ McDonald's offers delivery service in China.

_____

6 Answer the following questions in Pinyin.

1. 你喜欢喝水还是饮料？ *Nǐ* xǐ.huān hē shuǐ háishì yǐnliào?

_____

2. 你喜欢快餐店的食物吗？ *Nǐ* xǐ.huān kuàicāndiàn .de shíwù .ma?

_____

3. 你通常(*usually*)在快餐店点什么？ Nǐ tōngcháng zài kuàicāndiàn diǎn shén.me?

_____

7 According to the list from a fast-food store below, connect each name to the corresponding food they order.

方先生 Fāng xiān.shēng	一个三明治 yí-.ge sānmíngzhì 一杯果汁 yì-bēi guǒzhī
吴先生 Wú xiān.shēng	四个热狗 sì-.ge règǒu
张小姐 Zhāng *xiǎo*.jiě	一份沙拉 yí-fèn shālà
白先生 Bái xiān.shēng	一份薯片 yí-fèn shǔpiàn

1. _____ 方先生 Fāng xiān.shēng

A.

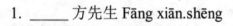

2. _____ 吴先生 Wú xiān.shēng

B.

3. _____ 张小姐 Zhāng *xiǎo*.jiě

C.

4. _____ 白先生 Bái xiān.shēng

D.

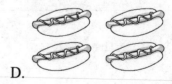

8 You work at a fast-food restaurant. Your co-worker is preparing meals for customers, but he made a few mistakes. Based on the meals prepared and the order list, decide if each customer gets what they ordered. If not, help your co-worker find the right meal.

Customer A: 我要小杯的饮料，一个热狗、一个汉堡和一份薯条。

Wǒ yào xiǎobēi .de yǐnliào, yí-.ge règǒu, yí-.ge hànbǎo hé yí-fèn shǔtiáo.

Customer B: 我要一杯茶和一个三明治。

Wǒ yào yì-bēi chá hé yí-.ge sānmíngzhì.

Customer C: 我要一杯水和一个苹果。Wǒ yào yì-bēi shuǐ hé yí-.ge píngguǒ.

Customer D: 我要热狗和汉堡，但是我不喜欢吃薯条。

Wǒ yào règǒu hé hànbǎo, dànshì wǒ bù xǐ.huān chī shǔtiáo.

Customer E: 我想吃薯条。Wǒ xiǎng chī shǔtiáo.

Customer F: 我要小份沙拉和大杯果汁。Wǒ yào xiǎofèn shālà hé dàbēi guǒzhī.

Match list your co-worker did	Right or Wrong?	The right Meal should be:
Customer A → Meal one	_____	_____
Customer B → Meal two	_____	_____
Customer C → Meal three	_____	_____
Customer D → Meal four	_____	_____
Customer E → Meal five	_____	_____
Customer F → Meal six	_____	_____

Unit 4 Lesson B

1 Draw a line from each illsutraion to its corresponding measure word, and fill in the Pinyin.

A.  B.  C. D.

•	•	•	•	•	•	•	•
1. 本	2. 双	3. 件	4. 支	5. 杯	6. 壶	7. 罐	8. 瓶
___	___	___	___	___	___	___	___
•	•	•	•	•	•	•	•

E. F. G. H.

2 Fill in the blanks with the words in the box.

壶 hú	杯 bēi	请问 qǐngwèn	只 zhǐ	不用 búyòng	点 diǎn
份 fèn	对不起 duìbùqǐ	有没有 yǒu méiyǒu	香草 xiāngcǎo		

1. **A:** 你要 Nǐ yào＿＿＿＿＿＿＿＿＿吃的东西吗 chī .de dōng.xī .ma？

   B: ＿＿＿＿＿＿＿＿＿，谢谢 xiè.x。

2. **A:** ＿＿＿＿＿＿＿＿＿，你们有热巧克力吗 nǐ.mén yǒu rè qiǎo.kèlì .ma？

   B: ＿＿＿＿＿＿＿＿＿，我们没有热巧克力 wǒ.mén méi.yǒu rè qiǎo.kèlì。

3. **A:** 你要点什么喝的东西 Nǐ yào diǎn shén.me hē.de dōng.xī？

   B: 我要一杯 Wǒ yào yì-bēi＿＿＿＿＿＿＿＿＿奶昔 nǎixī。

4. **A:** 请问你们 Qǐngwèn nǐ.men＿＿＿＿＿＿＿＿＿吃的东西 chī .de dōng.xī？

   B: 对不起 Duì.bùqǐ，我们 wǒ.men＿＿＿＿＿＿＿＿＿有饮料 yǒu yǐnliào。

5. **A:** 请问您要点什么 Qǐngwèn nín yào diǎn shén.me？

   B: 我要一 Wǒ yào yí＿＿＿＿＿＿＿＿＿三明治 sānmíngzhì，还要一

   hái yào yì＿＿＿＿＿＿＿＿＿橙汁 chéngzhī。

6. **A:** 你们要茶吗 Nǐ.men yào chá .ma？

   B: 要 Yào，我们有两个人 Wǒ.men *yǒu* liǎng-.ge rén，请给我们一 *qǐng gěi* wǒ.men

   yì＿＿＿＿＿＿＿＿＿花茶 huāchá。

3 **Choose the correct response to the questions that follow.**

A. 对不起，我们没有冰沙。Duì.bùqǐ, wǒ.mén méiyǒu bīngshā.

B. 我要点吃的东西。Wǒ yào diǎn chī .de dōng.xī.

C. 我喜欢喝葡萄汁。*Wǒ* xǐ.huān hē pú.táozhī.

D. 要，请给我们一壶花茶。Yào, *qǐng gěi* wǒ.mén yì-hú huāchá.

E. 我们有热狗、薯条和三明治。Wǒ.mén yǒu règǒu, shǔtiáo hé sānmíngzhì.

F. 我们有红茶、绿茶、花茶，还有乌龙茶。

   Wǒ.men yǒu hóngchá, lǜchá, huāchá, hái yǒu wūlóngchá.

G. 我要巧克力奶昔。Wǒ yào qiǎo.kèlì nǎixī.

---

1. _____ 你们有什么茶？Nǐ.mén yǒu shén.me chá?

2. _____ 你喜欢喝什么果汁？*Nǐ* xǐ.huān hē shén.me guǒzhī?

3. _____ 请问你们要点喝的东西吗？Qǐngwèn nǐ.mén yào diǎn hē .de dōng.xī .ma?

4. _____ 你们有什么吃的东西？Nǐ.mén yǒu shén.me chī .de dōng.xī?

5. _____ 我要点喝的东西，你呢？Wǒ yào diǎn hē .de dōng.xī, nǐ .ne?

6. _____ 你们有没有冰沙？Nǐ.mén yǒu méi.yǒu bīngshā?

7. _____ 你要巧克力奶昔还是香草奶昔？Nǐ yào qiǎo.kèlì nǎixī hái.shì xiāng*cǎo* nǎixī?

4 Use 有没有 *yǒu méiyǒu* to rewrite the sentences below. Follow the model.

Lì.zi: 你有兄弟姐妹吗？ *Nǐ* yǒu xiōngdì jiěmèi .ma?

你有没有兄弟姐妹？ *Nǐ* yǒu méiyǒu xiōngdì jiěmèi?

1. 你们有吃的东西吗？ Nǐ.men yǒu chī .de dōng.xī .ma?

   _____

2. 这个餐厅有花茶吗？ Zhèi-.ge cāntīng yǒu huāchá .ma?

   _____

3. 他有中文书吗？ Tā yǒu Zhōngwén shū .ma?

   _____

4. 这个学校有英国学生吗？ Zhèi.-ge xuéxiào yǒu Yīngguó xué.shēng .ma?

   _____

5. 背包里面有课本吗？ Bēibāo lǐ.miàn yǒu kèběn .ma?

   _____

6. 那个快餐店有葡萄汁吗？ Nèi.-ge kuàicāndiàn yǒu pú.táozhī .ma?

   _____

名字：＿＿＿＿＿＿＿＿＿＿＿＿＿＿＿＿＿ 日期：＿＿＿＿＿＿＿

5 **Look at the menu and answer the questions.**

大大饮料店

红茶	￥3.00	汽水	￥6.00	奶昔	￥9.00
绿茶	￥3.00	橙汁	￥7.00	柠檬冰沙	￥18.00
乌龙茶	￥4.50	葡萄汁	￥8.00	奶香草昔	￥15.50
奶茶	￥5.50	咖啡	￥10.00	巧克力奶昔	￥15.00

1. 这个饮料店(*drink shop*)有什么果汁？ Zhèi-.ge yǐnliào diàn yǒu shén.me guǒzhī?

   _____

2. 这个饮料店有没有花茶？ Zhèi-.ge yǐnliào diàn yǒu méiyǒu huāchá?

   _____

3. 你有五块钱，可以买什么饮料？ *Nǐ yǒu* wǔ-kuài qián, *kěyǐ* mǎi shén.me yǐnliào?

   _____

4. 这个饮料店卖不卖吃的东西？ Zhèi-.ge yǐnliào diàn mài bú mài chī .de dōng.xī?

   _____

5. 茶和果汁你都不喜欢，你可以点什么？
   Chá hé guǒzhī nǐ dōu bù xǐ.huān, *nǐ kěyǐ* diǎn shén.me?

   _____

6 Answer the questions based on the illustrations.

| 李明 Lǐ Míng | 方华 Fāng Huá | 娜娜 Nànà | 小梅 Xiǎoméi |

1. 李明吃不吃薯条？ Lǐ Míng chībùchī shǔtiáo?

   _____

2. 谁喝汽水？ Shéi hē qìshuǐ?

   _____

3. 娜娜要喝什么果汁？ Nànà yào hē shén.me guǒzhī?

   _____

4. 小梅要喝汽水吗？ Xiǎoméi yào hē qìshuǐ .ma?

   _____

7 Decide if the following statements are true or false. Correct any false ones.

1. _____ Dim sum is a big portion Chinese food that goes with tea.

   _____

2. _____ Teapots should be filled half full with tea leaves.

   _____

3. _____ Tea-drinking habits differ depending on the age of people. Young people prefer light tastes like jasmine tea, and older people prefer strong tastes like oolong tea.

   _____

8 Answer the following questions in Pinyin.

1. 你喜欢喝热巧克力吗？ Nǐ xǐ.huān hē rè qiǎokèlì .ma?

   _____

2. 你的兄弟姐妹喜欢喝果汁吗？他们喜欢喝什么果汁？

   Nǐ.de xiōngdì jiěmèi xǐ.huān hē guǒzhī .ma? Tā.men xǐ.huān hē shén.me guǒzhī?

   _____

3. 你通常点什么饮料？ Nǐ tōngcháng diǎn shén.me yǐnliào?

   _____

Unit 4 Lesson C

1 Look at the menu and answer the questions.

价目表 jiàmùbiǎo					
馒头 mán.tóu	¥3.00	可乐 kělè	大杯 dà bēi		¥6.50
烧饼 shāobǐng	¥3.50		小杯 xiǎo bēi		¥5.50
面包 miànbāo	¥4.50	果汁 guǒzhī	大杯 dà bēi		¥6.80
煎饼 jiānbǐng	¥5.50		小杯 xiǎo bēi		¥4.80
炸鸡 zhájī	¥8.00	薯条	大 dà		¥9.00
馄饨 hún.tún	¥10.50	shǔtiáo	中 zhōng		¥7.00

1. 两个馒头多少钱？Liǎng-.ge mán.tóu duōshǎo qián?

   _____

2. 炸鸡、煎饼和面包，一共多少钱？Zhájī, jiānbǐng hé miànbāo, yígòng duōshǎo qián?

   _____

3. 一个大杯可乐和一份中薯条，一共多少钱？
   Yì-gè dà bēi kělè hé yí-fèn zhōng shǔtiáo, yígòng duōshǎo qián?

   _____

4. 你买一份馄饨和一个馒头，你给老板(owner)三十块，他要找你多少钱？
   Nǐ mǎi yí-fèn hún.tún hé yí-.ge mán.tóu, *nǐ gěi lǎo*bǎn sān.shí kuài, tā yào *zhǎo* nǐ duōshǎo
   qián?

   _____

2 **Below are the charts showing today's exchange rates between different currencies. Do the calculation and write down the answers. (Note: you may need a calculator to do the math.)**

欧元	英镑
1	0.7

人民币	新台币
1	5

日元	韩元
1	9

美元	人民币
1	6.2

欧元	日元
1	138

人民币	港币
1	1.2

1. 一块美元 yí-kuài Měiyuán = _____ 人民币 Rénmínbì

2. 五块欧元 wǔ-kuài Ōuyuán = _____ 日元 Rìyuán

3. 十二块港币 shí'èr-kuài Gǎngbì = _____ 人民币 Rénmínbì

4. 七十块英镑 qīshí-kuài Yīngbàng = _____ 欧元 Ōuyuán

5. 一百块日元 yìbǎi-kuài Rìyuán = _____ 韩元 Hányuán

6. 一百块人民币 yìbǎi-kuài Rénmínbì = _____ 新台币 Xīntáibì

7. 十块新台币 shí-kuài Xīntáibì = _____ 人民币 Rénmínbì

8. 五千块日元 wǔqiān-kuài Rìyuán = _____ 欧元 Ōuyuán

9. From the charts above, can you calculate the exchange rate between 英镑 and 日元?

    一块英镑 yí-kuài Yīngbàng = _____ 日元 Rìyuán

10. From the charts above, can you calculate the exchange rate between 美元 and 新台币?

    一块美元 yí-kuài Měiyuán = _____ 新台币 Xīntáibì

真棒   Workbook

3 The following table shows how much money each person has. Answer the questions based on the table.

| 李明 Lǐ Míng | 刘翔 Liú Xiáng | 怡如 Yírú | 小惠 Xiǎohuì |

1. 谁有美元？Shéi *yǒu* Měiyuán?

   _____

2. 怡如有硬币吗？Yírú yǒu yìngbì .ma?

   _____

3. 谁只有钞票？Shéi *zhǐ* yǒu chāopiào?

   _____

4. 谁没有大钞？Shéi méiyǒu dàchāo?

   _____

5. 李明有多少钱？Lǐ Míng yǒu duōshǎo qián?

   _____

4 Use 多少 *duōshǎo* to ask questions that correspond to the answers.

1. **A:** _____

   B: 我家有十三口人。Wǒ jiā yǒu shísān-kǒu rén.

2. **A:** _____

   B: 这本书一百五十块钱。Zhèi-běn shū yìbǎi wǔ.shí-kuài qián.

3. **A:** _____

   B: 三明治和牛奶一共十八块钱。Sānmíngzhì hé niúnǎi yígòng shíbā-kuài qián.

4. **A:** _____

   B: 我今天喝了十四杯水。Wǒ jīntiān hē .le shísì-bēi shuǐ.

5. **A:** _____

   B: 他们买了十五件衣服。Tā.men mǎi .le shíwǔ-jiàn yī.fú.

6. **A:** _____

   B: 我的中文课有二十二个学生。

   Wǒ.de Zhōngwén kè yǒu èr.shí'èr -.ge xué.shēng.

5 Four people had food poisoning after they ate in the same restaurant. They don't quite remember what they ordered, so you need to figure out what they ate based on their descriptions and the menu from the restaurant. Fill in what you found out about what each of them ate.

天天来自助餐厅 Tiān Tiān Lái Zìzhù Cāntīng

炸鸡 zhájī　¥8.75
可乐 kělè　¥4.25
面包 miànbāo　¥5.25
果汁 guǒzhī　¥6.50
三明治 sānmíngzhì　¥5.50

馄饨 hùn.tún　¥12.00
包子 bāo.zi　¥3.00
豆浆 dòujiāng　¥4.00
馒头 mán.tóu　¥3.00
牛奶 niúnǎi　¥4.50

A.

我点一杯饮料，我给老板七块，他找我五毛。*Wǒ diǎn yī-bēi yǐnliào, wǒ gěi lǎobǎn qī-kuài. tā zhǎo wǒ wǔ-máo.*

B.

我的一共十三块，我点了吃的东西和一杯可乐。*Wǒ.de yígòng shísān-kuài, wǒ diǎn le chī .de dōng.xī hé yì-bēi kělè.*

C.

我只点一个中式早餐，十二块。*Wǒ zhǐ diǎn yí-.ge zhōngshì zǎocān, shí'èr-kuài.*

D.

我买了两种饮料，一共八块五毛。*Wǒ mǎi.le liǎng-zhǒng yǐnliào, yígòng bā-kuài wǔ-máo.*

1. A 点什么？ A diǎn shén.me?

   _____

2. B 点什么？ B diǎn shén.me?

   _____

3. C 点什么？ C diǎn shén.me?

   _____

4. D 点什么？ D diǎn shén.me?

   _____

6 Decide if the following statements are true or false. Correct any false ones.

1. _____ Chinese students usually eat sandwiches for lunch.

_____

2. _____ Lunchboxes are often made by packing last night's dinner leftovers into a metallic lunchbox.

_____

3. _____ School stores usually open around noon and sell simple lunchboxes or bread and milk. This is also a choice for students to buy lunches.

_____

7 Answer the following questions in Pinyin.

1. 你喜欢吃什么早餐？ *Nǐ* xǐ.huān chī shén.me zǎocān?

_____

2. 你喜欢喝豆浆还是牛奶？ *Nǐ* xǐ.huān hē dòujiāng háishì niúnǎi?

_____

3. 你有没有人民币？ *Nǐ* yǒu méiyǒu Rénmínbì?

_____

Unit 4 Lesson D

1 Look at the items below and write a word that describes how each item tastes.

lemon

coffee

gravy

1. _____   2. _____   3. _____

steak with extra sauce

candy

chili

4. _____   5. _____   6. _____

名字: _____   日期: _____

2 Match the picture of each animal to the corresponding meat in Chinese.

1.

A. 猪肉 zhūròu

2.

B. 鸭肉 yāròu

3.

C. 牛肉 niúròu

4.

D. 羊肉 yángròu

5.

E. 鸡肉 jīròu

3 Use the pattern *adj.* 不 *adj.* to rewrite the sentences below. Follow the model.

> **Lì.zi:** 酸辣汤酸吗？Suānlàtāng suān .ma?
>
> 酸辣汤酸不酸？Suānlàtāng suān bùsuān?

1. 宫保鸡丁辣吗？Gōngbǎo jīdīng là .ma?

   _____

2. 牛肉面油吗？Niúròumiàn yóu .ma?

   _____

3. 电子游戏好玩儿吗？Diànzǐ yóuxì hǎowánr .ma?

   _____

4. 香草奶昔甜吗？Xiāng*cǎo* nǎixí tián .ma?

   _____

5. 炸鸡咸吗？Zhájī xián .ma?

   _____

4 Fill in the blanks to complete the conversation below.

> 还 hái　　都 dōu　　份 fèn　　给 gěi　　要 yào
>
> 不 bù　　咸 xián　　马上 mǎshàng　　有名 yǒumíng

服务员： 您好 Nínhǎo！请问您 Qǐngwèn nín 1. _____点菜了吗 diǎn-cài .le .ma?

客人： 饭和面我 Fàn hé miàn wǒ 2. _____想吃 xiǎng chī，我不知道要点哪一个

wǒ bù zhīdào yào *diǎn* nǎ yí-.ge。

服务员： 我们的牛肉面很好吃 Wǒ.men.de niúròumiàn *hěn* hǎochī，麻婆豆腐饭也很

mápó dòu.fū fàn *yě* hěn 3. _____。

客人： 请问牛肉面 Qǐngwèn niúròumiàn 4. _____吗.ma?

服务员： 不咸，我们的牛肉面很清淡。Bù xián, wǒ.men.de niúròumiàn hěn qīngdàn.

客人： 请问麻婆豆腐辣 Qǐngwèn mápó dòu.fū là 5. _____辣 là?

服务员： 麻婆豆腐很辣 Mápó dòu.fū hěn là，您喜欢吃辣的菜吗 nín xǐ.huān chī là .de

cài .ma?

客人： 我很喜欢吃辣的菜 *Wǒ hěn* xǐ.huān chī là .de cài，请给我一 *qǐng gěi* wǒ yí

6. _____麻婆豆腐 mápó dòu.fū。

服务员： 您 nín 7. _____要什么 yào shén.me?

客人： 请再 Qǐng zài 8. _____我一碗饭 wǒ yì-wǎn fàn。

服务员： 好的 hǎo .de，9. _____来 lái。

5 Decide if the statements are true or false. Correct any false statements.

1. _____ Rice and noodles are staple foods in China.

   _____

2. _____ Because of the weather, people in the north traditionally ate more rice and people in the south ate more noodles.

   _____

3. _____ Chinese rarely ate beef because there were not many cattle in the past. Nowadays they still don't eat much beef because they prefer chicken and pork.

   _____

6 Answer the following questions in Pinyin based on your own situation.

1. 你喜欢先(*first*)吃饭还是先(*first*)喝汤? *Nǐ xǐ.huān xiān chī-fàn hái.shì xiān hē-tāng?*

   _____

2. 你吃不吃猪肉? *Nǐ chī bùchī zhūròu?*

   _____

3. 美国菜清不清淡? *Měiguócài qīng bù qīngdàn?*

   _____

7 The following article is from a gourmet magazine in Taiwan. The critic makes a comparison between two restaurants which are famous for their 鸡肉饭 *jīròufàn*. Answer the questions that are based on this article.

香香鸡肉饭 Xiāngxiāng jīròufàn

鸡肉饭 jīròufàn: 65 元 yuán
鸡蛋 jīdàn: 10 元 yuán
鸡腿 jītuǐ: 40 元 yuán

行家评论 hángjiā pínglùn

饭 fàn: ★★★★★
价钱 jià qián: ★★★★
鸡肉 jīròu: ★★★★★
蛋 dàn: ★★★★

☺ 很好吃，鸡肉不油，蛋也很香。
Fàn *hěn* hǎochī, jīròu bù yóu, dàn *yě* hěn xiāng.

老李鸡肉饭 Lǎolǐ jīròufàn

鸡肉饭 jīròufàn: 45 元 yuán
鸡肉 jīròu: 30 元 yuán
菜 cài: 15 元 yuán

行家评论 hángjiā pínglùn

饭 fàn: ★★★
价钱 jià qián: ★★★
鸡肉 jīròu: ★★★
菜 cài: ★★★

☹ 很清淡，很便宜，但是不好吃。
Cài hěn yóu, jīròu hěn qīngdàn, hěn pián.yí, dàn.shì bù hǎochī.

1. 哪一个鸡肉饭好吃? Nǎ yí-.ge jīròufàn hǎochī?

    _____

2. 这两个饭馆的鸡肉饭油不油? Zhè liǎng-.ge fànguǎn .de jīròufàn yóu bù yóu?

    _____

3. 老李鸡肉饭的菜清不清淡? *Lǎo*lǐ jīròufàn .de cài qīng bù qīngdàn?

    _____

4. 你在香香鸡肉饭点了一碗鸡肉饭、一个鸡蛋和两份鸡腿，一共多少钱?
    Nǐ zài Xiāngxiāng jīròufàn diǎn.le yì-wǎn jīròufàn, yí-.ge jīdàn hé liǎng-fèn jītuǐ, yígòng
    duōshǎo qián?

    _____

5. 你在老李鸡肉饭点了两碗鸡肉饭、一份鸡肉和两份菜，一共多少钱?
    Nǐ zài *Lǎo*lǐ jīròufàn diǎn.le *liǎng*-wǎn jīròufàn, yí-fèn jīròu hé liǎng-fèn cài, yígòng
    duōshǎo qián?

    _____

Unit 5 Lesson A

1 Fill in the blanks based on the time sequence.

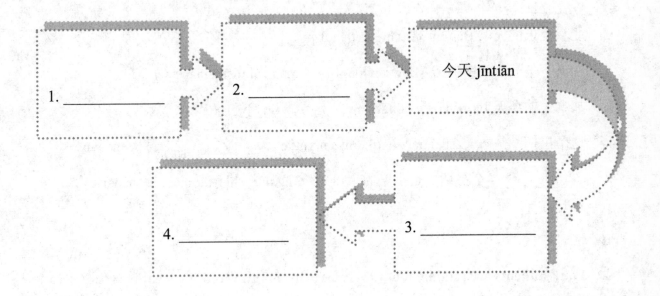

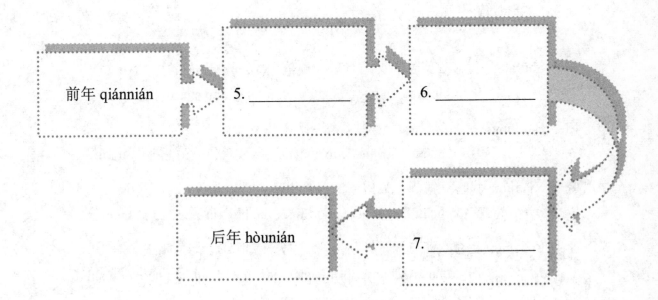

2 Complete each sentence with a word from the box.

```
见 jiàn    会 huì    怎么样 zěn.meyàng    真 zhēn    上 shàng
```

1. 北京夏天的天气 Běijīng xiàtiān .de tiānqì_____?

2. 明天下午五点在图书馆 Míngtiān xià.wǔ wǔ-diǎn zài túshūguǎn_____!

3. 加拿大的冬天 Jiā'nádà .de dōngtiān_____下雪 xià-xuě。

4. 这个星期都是雨天 Zhèi.ge xīngqī dōu shì yǔtiān，_____讨厌 tǎoyàn！

5. _____个星期二是小美的生日.ge Xīngqī'èr shì Xiǎoměi .de shēngrì。

3 Four students are talking about their favorite country and the weather there. Read the following descriptions and answer the questions.

书芳 Shūfāng: 我喜欢英国。英国有风，很舒服(comfortable)。
Wǒ xǐ.huān Yīngguó. Yīngguó yǒu fēng, hěn shū.fú.

白苹 Bái Píng: 我喜欢台湾。台北常常下雨，我喜欢雨天。
Wǒ xǐ.huān Táiwān. Táiběi cháng.x xià-yǔ, wǒ xǐ.huān yǔtiān.

晓君 Xiǎojūn: 我喜欢德国。德国十二月会下雪，我喜欢雪。
Wǒ xǐ.huān Déguó. Dé.guó Shí'èryuè huì xià-xuě, wǒ xǐ.huān xuě.

李明 Lǐ Míng: 我喜欢西班牙。西班牙七月的天气很好，都是晴天。
Wǒ xǐ.huān Xībānyá. Xībānyá Qīyuè .de tiānqì hěn hǎo, dōu shì qíngtiān.

1. 谁喜欢雨天？Shéi xǐ.huān yǔtiān?

   _____

2. 英国的天气怎么样？Yīngguó .de tiānqì zěn.meyàng?

   _____

3. 李明喜欢阴天，对不对？Lǐ Míng xǐ.huān yīntiān, duì búduì?

   _____

4. 德国十二月天气怎么样？Déguó Shí'èryuè tiānqì zěn.meyàng?

   _____

4 Fill in the blanks based on what you learned in the Culture Window.

1. Beihai Park is the oldest surviving _____ garden to be built in the world.

2. Beihai Park is famous for its "one _____, three _____."

3. The suns, moons, and flames decorated on Yong'an Temple represent the brightness

   of the light of _____.

5 Answer the following questions in Pinyin according to your own situation.

1. 你喜欢雨天还是晴天？ *Nǐ* xǐ.huān yǔtiān háishì qíngtiān?

   _____

2. 今天天气冷不冷？ Jīntiān tiānqì lěng bùlěng?

   _____

3. 上个周末你做了什么？ Shàng.ge zhōumò nǐ zuò.le shén.me?

   _____

4. 你的国家十二月天气怎么样？ Nǐ.de guójiā Shí'èryuè tiānqì zěn.meyàng?

   _____

6 The chart below is the weather forecast for February. Fill in the blanks in the first week with the type of weather that matches the picture and then answer the questions.

星期日	星期一	星期二	星期三	星期四	星期五	星期六
1	2	3	4	5	6	7
1._____	2._____	3._____	4._____	5._____	6._____	7._____
8	9	10	11	12.	13	14
15	16	17	18	19	20	21
22	23	24	25	26	27	28

(今天 appears in the box for day 4)

1. 今天天气怎么样？Jīntiān tiānqì zěn.meyàng?

   _____

2. 昨天天气怎么样？Zuótiān tiānqì zěn.meyàng?

   _____

3. 下下个星期天气怎么样？Xià.x-.ge xīngqī tiānqì zěn.meyàng?

   _____

4. 这个月 28 号天气怎么样？Zhèi.ge yuè èr.shíbā hào tiān.qì zěn.meyàng?

   _____

5. 下下个星期四天气怎么样？Xià.x-.ge Xīngqīsì tiān.qì zěn.meyàng?

   _____

6. 李明想在这个月的周末跟朋友去海边，哪天去好？
   Lǐ Míng xiǎng zài zhèi.ge yuè .de zhōumò gēn péng.yǒu qù hǎibiān, něi-tiān qù hǎo?

   _____

7 Poets are influenced by their environment. Look at the following poems and match each one to the weather that influenced the poet.

1.

清明时节雨纷
纷，路上行人
欲断魂。
Qīngmíng shíjié
yǔ fēn.x, lù
shàng xíngrén
yù duànhún

2.

天苍苍，野茫
茫，风吹草低
见牛羊。Tiān
cāng.x, yě
máng.x, fēng
chuī cǎo dī xiàn
niú yáng.

3.

梅子黄时日日
晴，小溪泛尽
却山行。
Méi.zi huáng
shí rì.x qíng,
xiǎo xī fàn jìn
què shān xíng.

A. 刮风 guā-fēng

B. 晴天 qíngtiān

C. 雨天 yǔtiān

Unit 5 Lesson B

1 **Match each picture to its corresponding season and weather condition.**

1. 春天 chūntiān ◆   ◆ 热 rè

2. 夏天 xiàtiān ◆   ◆ 凉 liáng

3. 秋天 qiūtiān ◆   ◆ 温暖 wēnnuǎn

4. 冬天 dōngtiān ◆   ◆ 冷 lěng

2 Look at the thermometers, and write the temperature with the correct unit of measurement (Celsius or Fahrenheit).

  摄氏二十三度。Shèshì èrshí sān dù.

1.

_____

2.

_____

3.

_____

4.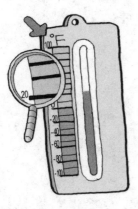

_____

5.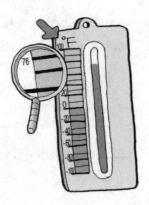

_____

6.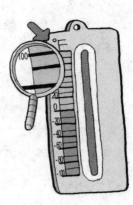

_____

3 **Answer the questions using the two charts below.**

The Four Seasons in Hainan	
三月 ~ 五月	18°C ~ 26°C
六月 ~ 八月	28°C ~ 37°C
九月 ~ 十一月	20°C ~ 25°C
十二月 ~ 二月	15°C ~ 18°C

Celsius (°C)	Fahrenheit (°F)
10°C	50°F
20°C	68°F
30°C	86°F
40°C	104°F
F = C × 9/5 + 32	

1. 夏天的时候，天气很热吗？Xiàtiān .de shí.hòu, tiānqì hěn rè .ma?

   _____

2. 秋天的时候，最高温度(*the highest temperature*)是摄氏几度？
   Qiūtiān .de shí.hòu, zuì gāo wēndù shì Shèshì jǐ-dù?

   _____

3. 冬天的时候，要暖气吗？Dōngtiān .de shí.hòu, yào nuǎnqì .ma?

   _____

4. 春天的时候，最低温度(*the lowest temperature*)是华氏几度？
   Chūntiān .de shí.hòu, zuì dī wēndù shì Huáshì jǐ-dù?

   _____

5. 海南的四季，天气怎么样？Hǎinán .de sì-jì, tiānqì zěn.meyàng?

   _____

4 Decide if each statement is true or false based on the information provided.

冰淇淋口味 bīngqílín kǒuwèi	巧克力 qiǎo.kèlì	香草 xiāngcǎo	草莓 cǎoméi	抹茶 mǒchá
小芳 Xiǎofāng	♥	♥		
强强 Qiángqiáng	♥			
美莉 Měilì	♥		♥	
小派 Xiǎopài				♥
文森 Wénsēn		♥	♥	

1. _____ 有两个人喜欢香草口味的冰淇淋。

   Yǒu liǎng-.ge rén xǐ.huān xiāngcǎo kǒuwèi .de bīngqílín.

2. _____ 文森喜欢香草和草莓口味的冰淇淋。

   Wénsēn xǐ.huān xiāngcǎo hé cǎoméi kǒuwèi .de bīngqílín.

3. _____ 没有人喜欢抹茶口味的冰淇淋。

   Méiyǒu rén xǐ.huān mǒchá kǒuwèi .de bīngqílín.

4. _____ 小派觉得抹茶口味的冰淇淋比较好吃。

   Xiǎopài jué.de mǒchá kǒuwèi .de bīngqílín bǐjiào hǎochī.

5. _____ 小芳只喜欢吃巧克力口味的冰淇淋。

   Xiǎofāng zhǐ xǐ.huān chī qiǎokèlì kǒuwèi .de bīngqílín.

6. _____ 有三个人喜欢巧克力口味的冰淇淋。

   Yǒu sān-.ge rén xǐ.huān qiǎokèlì kǒuwèi .de bīngqílín.

7. _____ 美莉觉得巧克力和草莓口味的冰淇淋比较好吃。

   Měilì jué.de qiǎokèlì hé cǎoméi kǒuwèi .de bīngqílín bǐjiào hǎochī.

8. _____ 强强喜欢巧克力和香草口味的冰淇淋。

   Qiángqiáng xǐ.huān qiǎokèlì hé xiāngcǎo kǒuwèi .de bīngqílín.

5 Use the pattern 又……又……*yòu… yòu…* to write complete sentences. Follow the model.

> **Lì.zi:** 我 wǒ / 饿 è / 渴 kě
> 我又饿又渴。Wǒ yòu è yòu kě.

1. 饮料 yǐnliào / 冰 bīng / 好喝 hǎohē

   _____

2. 今天的天气 jīntiān .de tiānqì / 刮风 guā-fēng / 下雨 xià-yǔ

   _____

3. 他 tā / 学 xué / 中文 Zhōngwén / 日文 Rìwén

   _____

4. 酸辣汤 suānlàtāng / 酸 suān / 辣 là

   _____

5. 草莓 cǎoméi / 甜 tián / 好吃 hǎochī

   _____

6. 弟弟 dì.x / 吃 chī / 热狗 règǒu / 薯条 shǔtiáo

   _____

6 You are now working in a high-class ice cream shop. Your job is to collect information from the surveys below about how the four Ice Cream Experts (ICE) feel about each ice cream flavor. Use the pattern 太……了 *tài …….le* to fill out your report.

ICE 1	ICE 2
Chocolate: too sweet	Chocolate: very good
Strawberry: too sour	Strawberry: too sour
Vanilla: too sweet	Vanilla: too sweet
Matcha: very good	Matcha: bitter

ICE 3	ICE 4
Chocolate: yummy	Chocolate: not bad
Strawberry: not bad	Strawberry: too sour
Vanilla: too sweet	Vanilla: too sweet
Matcha: too bitter	Matcha: too bitter

Q: 巧克力口味怎么样？ Qiǎokèlì kǒuwèi zěn.meyàng?

A: ICE 1 觉得 jué.de_____。

Q: 草莓口味怎么样？ Cǎoméi kǒuwèi zěn.meyàng?

A: ICE 1、ICE 2、ICE 4 觉得 jué.de _____。

Q: 香草口味怎么样？ Xiāngcǎo kǒuwèi zěn.meyàng?

A: 他们都觉得 Tā.men dōu jué.de_____。

Q: 抹茶口味怎么样？ Mǒchá kǒuwèi zěn.meyàng?

A: ICE 2、ICE 3、ICE 4 觉得 jué.de _____。

7 Fill in the blanks based on what you learned in the Culture Window.

1. The province of _____ in China has similar in climate to Minnesota in the US.

2. In the northern half of China, government provides central heating from

   _____ to _____ .

3. The three hottest cities in China are _____, _____ and

   _____ .

8 Answer the following questions in Pinyin according to your own situation.

1. 夏天睡觉的时候，你开空调吗？Xiàtiān shuì-jiào .de shí.hòu, nǐ kāi kōngtiáo .ma?

   _____

2. 冬天的时候，你开不开暖气？Dōngtiān .de shí.hòu, nǐ kāi bùkāi nuǎnqì?

   _____

3. 你喜欢吃什么口味的冰淇淋？Nǐ xǐ.huān chī shén.me kǒuwèi .de bīngqílín?

   _____

4. 你渴的时候，喝水还是饮料？Nǐ kě .de shí.hòu, hē shuǐ háishì yǐnliào?

   _____

Unit 5 Lesson C

1 Draw a line from each picture to its corresponding festival and date.

1. 春节 ◆ Chūnjié		◆ 一月一号 Yīyuè yī hào
2. 元宵节 ◆ Yuánxiāojié		◆ 五月五号 Wǔyuè wǔ hào
3. 中秋节 ◆ Zhōngqiūjié		◆ 一月十五号 Yīyuè shíwǔ hào
4. 端午节 ◆ Duānwǔjié		◆ 八月十五号 Bāyuè shíwǔ hào

2 Look at the chart below and answer the questions.

Chinese Holiday/Festival	Chinese Lunar Date
New Year's Eve	December 31st
Chinese New Year	January 1st
Lantern Festival	January 15th
Dragon Boat Festival	May 5th
Mid-Autumn Festival	August 15th

1. 中秋节是哪天？ Zhōngqiūjié shì něi-tiān?

    _____

2. 元宵节是在一月初吗？ Yuánxiāojié shì zài Yīyuè chū .ma?

    _____

3. 端午节在三月中吗？ Qīngmíngjié zài Sānyuè zhōng .ma?

    _____

4. 现在是八月初，什么节快到了？ Xiànzài shì Bāyuè chū, shén.me jié kuài dào .le?

    _____

5. 昨天是五月四号，今天是什么节？
    Zuótiān shì Wǔyuè sì hào, jīntiān shì shén.me jié?

    _____

3 **Match each sentence to its correct response.**

A. 因为我又饿又渴。Yīnwèi wǒ yòu è yòu kě.

B. 五月初。Wǔyuè chū.

C. 因为可以拿红包、放鞭炮。Yīnwèi *kěyǐ* ná-hóngbāo, fang-biānpào.

D. 圣诞节快到了！Shèngdànjié kuài dào .le!

E. 我不觉得讨厌，我喜欢新学期。Wǒ bù jué.de tǎoyàn, *wǒ* xǐ.huān xīn xuéqī.

F. 得看菜单上有没有。Děi kàn càidān shàng yǒu méiyǒu.

G. 中国新年通常在一月底到二月初。

   Zhōngguó Xīnnián tōngcháng zài Yīyuè dǐ dào Èryuè chū.

---

1. _____ 今天是十二月二十号。Jīntiān shì Shí'éryuè èr.shí hào.

2. _____ 真讨厌！暑假快结束了。Zhēn tǎoyàn! Shǔjià kuài jiéshù .le.

3. _____ 你什么时候回美国？*Nǐ* shen.me shí.hòu huí Měiguó?

4. _____ 为什么你喜欢中国新年？Wèishén.me *nǐ* xǐ.huān Zhōngguó Xīnnián?

5. _____ 这家餐厅有宫保鸡丁吗？Zhèi-jiā cāntīng yǒu Gōngbǎo jīdīng .ma?

6. _____ 中国新年是哪一天？Zhōngguó Xīnnián shì nǎ-yì tiān?

7. _____ 你为什么点这么多东西？Nǐ wèishén.me diǎn zhè.me duō dōng.xī?

4 Use the pattern 因为···所以···*yīnwèi...suǒyǐ...* to answer the following questions.

Li.zi: 为什么你点冰淇淋?

Wèishén.me *nǐ* diǎn bīngqílín?

因为今天很热，所以我想吃冰的东西。

Yīnwèi jīntiān hěn rè, *suǒyǐ wǒ* xiǎng chī bīng .de dōng.xī.

1. 为什么他不喜欢吃宫保鸡丁? Wèishén.me tā bù xǐ.huān chī Gōngbǎo jīdīng?

   _____

2. 为什么你这个周末要去图书馆? Wèishén.me nǐ zhèi-.ge zhōumò yào qù túshūguǎn?

   _____

3. 为什么你学中文? Wèishén.me nǐ xué Zhōngwén?

   _____

4. 为什么你喜欢中国新年? Wèishén.me *nǐ* xǐ.huān Zhōng.guó Xīnnián?

   _____

5 Fill in the blanks based on what you learned from the Culture Window.

1. Chinese Lunar New Year is also known as _____, which is a very important

   traditional festival that the Chinese celebrate on the _____ day of the first

   month of the _____ calendar.

2. On New Year's Eve, the dinner usually includes dishes that are "_____",

   such as _____ (a homonym for 'surplus') and dumplings (to represent

   riches).

3. There are _____ animals in Chinese Zodiac.

6 Answer the following questions in Pinyin according to your own situation.

1. 在你的国家你们怎么过年？Zài nǐ.de guójiā nǐ.men zěn.me guònián?

   _____

2. 你觉得中国新年有意思吗？Nǐ jué.de Zhōngguó Xīnnián yǒu yì.sī .ma?

   _____

3. 你们家用(to use)农历吗？Nǐ.men jiā yòng nónglì .ma?

   _____

名字： _____ 日期： _____

7 Use 快要 *kuài yào* or 已经 *yǐjīng* to describe the pictures.

1. 他 Tā _____到学校了 dào xuéxiào .le。

2. 电影 Diànyǐng _____结束(*to finish*)了 jiéshù .le。

3. 他们 Tā.mén _____吃饱了 chī bǎo .le。

4. 考试 Kǎoshì _____到了 dào .le。

真棒 Workbook © EMC Publishing

名字: _____ 日期: _____

8 Read Xiaoqiang's diary entry and answer the questions that follow.

五月五日 Wǔyuè wǔ rì　　星期五 Xīngqīwǔ

天气晴 tiānqì qíng

因为今天是端午节，所以我不用去学校。我跟朋友去篮球场打篮球。天气好热，真讨厌！大概摄氏三十五度吧！我又热又渴，所以我去冰淇淋店点了一个草莓冰淇淋。我也想喝东西，所以我到饮料店点了一杯大杯可乐。喝东西以后，我觉得很饿，所以我去快餐店买了一个大汉堡和一份大薯条。我现在很累，我想去睡觉了。

Yīnwèi jīntiān shì Duānwǔjié, *suǒyǐ* wǒ búyòng qù xuéxiào. Wǒ gēn péng.yǒu qù lánqiúchǎng dǎ-lánqiú. Tiānqì hǎo rè, zhēn tǎoyàn! Dàgài Shèshì sān.shíwǔ-dù .ba! Wǒ yòu rè yòu kě, *suǒyǐ* wǒ qù bīngqílín diàn diǎn .le yí-.ge cǎoméi bīngqílín. *Wǒ yě* xiǎng hē dōng.xī, *suǒyǐ* wǒ dào yǐnliào diàn diǎn .le yì-bēi dà bēi kělè. Hē dōng.xī yǐhòu, wǒ jué.de hěn è, *suǒyǐ* wǒ qù kuàicāndiàn mǎi .le yí-.ge dà hànbǎo hé yí-fèn dà shǔtiáo. Wǒ xiànzài hěn lèi, *wǒ* xiǎng qù shuìjiào .le.

1.　为什么小强今天不去学校？Wèishén.me Xiǎoqiáng jīntiān bú qù xuéxiào?

　　_____

2.　小强今天去哪里？Xiǎoqiáng jīntiān qù *nǎlǐ*?

　　_____

3. 今天天气怎么样？Jīntiān tiānqì zěn.meyàng?

_____

4. 今天几度？Jīntiān jǐ-dù?

_____

5. 小强点了什么口味的冰淇淋？Xiǎoqiáng diǎn .le shén.me kǒuwèi .de bīngqílín?

_____

6. 小强点了什么喝的东西？Xiǎoqiáng diǎn .le shén.me hē .de dōng.xī?

_____

7. 小强去哪里买吃的东西？Xiǎoqiáng qù *nǎlǐ* mǎi chī .de dōng.xī?

_____

8. 小强点了什么吃的？Xiǎoqiáng diǎn .le shén.me chī .de?

_____

9. 小强现在想做什么？Xiǎoqiáng xiànzài xiǎng zuò shén.me?

_____

Unit 5 Lesson D

1 Draw a line from each picture to its corresponding festival and date.

1. 端午节 ◆
   Duānwǔjié

◆ 七月七号
   Qīyuè qī hào

2. 七夕 ◆
   Qīxī

◆ 五月五号
   Wǔyuè wǔ hào

名字： _____ 日期： _____

2 Write the name of the Chinese festival based on how each pea describes his or her day.

1.

因为我今天帮妈妈包粽子，所以她
买新的香包送给我，我很高兴！
Yīnwèi wǒ jīntiān bāng mā.x bāo
zòng.zi, *suǒ*yǐ tā mǎi xīn .de xiāngbāo
sòng *gěi* wǒ, *wǒ* hěn gāoxìng!

_____

2.

我今天晚上跟男朋友一起去
法国餐厅吃饭，他送我巧克
力和花！ Wǒ jīntiān wǎn.shàng
gēn nán péng.yǒu yìqǐ qù Fǎguó
cāntīng chī-fàn, tā sòng *wǒ*
qiǎokèlì hé huā!

_____

3 Each of the following sentences has one incorrect Chinese character. Circle the wrong Chinese character and write the correct replacement on the line.

1. _____ 因为明天是端午节，所以妈妈现再包粽子。

Yīnwèi míngtiān shì Duānwǔjié, *suǒ*yǐ mā.x xiànzài bāo zòng.zi.

2. _____ 端午节除了吃粽子以外，我们也划龙周。

Duānwǔjié chú.le chī zòng.zi yǐwài, wǒ.men yě huá lóngzhōu.

3. _____ 为了篮球笔赛，哥哥每天都练习(*to practice*)。

Wèi.le lánqiú bǐsài, gē.x měitiān dōu liànxí.

4. _____ 爸爸这个州末要带我们去划船。

Bà.x zhèi-.ge zhōumò yào dài wǒ. mén qù huá-chuán.

5. _____ 因为可以拿红包，所以大加都喜欢中国新年。

Yīnwèi *kě*yǐ ná hóngbāo, *suǒ*yǐ dàjiā dōu xǐ.huān Zhōngguó Xīnnián.

6. _____ 除了包粽子以外，中国人也做箱包。

Chú.le bāo zòng.zi yǐwài, Zhōngguórén yě zuò xiāngbāo.

7. _____ 划船一点儿也不男！ Huá-chuán yì.diǎnr yě bù nán.

4 Sabrina's just returned from a trip to China. Read her blog posting below and answer the following questions.

一月，是新的一年，我今年除了学中文以外，还要学日文，加油！
Yīyuè, shì xīn .de yì nián, wǒ jīnnián chú.le xué Zhōngwén yǐwài, hái yào xué Rìwén, jiāyóu!

二月，因为我加入音乐社，所以我认识了很多新朋友。
Èryuè, yīnwèi wǒ jiārù yīnyuèshè, *suǒyǐ* wǒ rènshì .le hěn duō xīn péng.yǒu.

三月，春天到了，每天都是晴天！Sānyuè, chūntiān dào.le, měitiān dōu shì qíngtiān.

四月，这个月我有七天的假期，所以我回美国去看家人。
Sìyuè, zhèi-.ge yuè *wǒ* yǒu qī-tiān .de jiàqí, *suǒyǐ* wǒ huí Měiguó qù kàn jiārén.

五月，端午节我吃了十个粽子，还看龙舟比赛，真有意思！
Wǔyuè, Duānwǔjié wǒ chī.le shí-.ge zòng.zi, hái kàn lóngzhōu bǐsài, zhēn yǒu yì.sī.

六月，学期结束！Liùyuè, xuéqī jiéshù!

七月，天气好热，听说七月七是七夕。Qīyuè, tiān.qì hǎo rè, tīngshuō Qīyuè qī shì Qīxī.

八月，我的中国朋友带我去爬山，好累啊！
Bāyuè, wǒ.de Zhōng.guó péng.yǒu dài wǒ qù páshān, hǎo lèi .ā!

九月，学期开始了，很开心见到好久不见的同学们。中秋节那天，我吃月饼，还看月亮。Jiǔyuè, xuéqī kāishǐ .le, hěn kāixīn jiàndào *hǎo* jiǔ bú jiàn .de tóngxué.men. Zhōngqiūjié nèi-tiān, wǒ chī yuèbǐng, hái kàn dà yuèliàng.

十月，天气变冷了。Shíyuè, tiānqì biàn lěng .le.

十一月，我每天都读中文。Shíyīyuè, *wǒ* měitiān dōu dú Zhōngwén.

十二月底，我和朋友去巴黎(Paris)过新年。Shí'èryuè dǐ, Wǒ hé péng.yǒu qù Bālí guò Xīnnián.

1. Sabrina 学什么语言(*language*)？ Sabrina xué shén.me yǔyán?

   (use the pattern 除了……以外，还…… *chú.le……yǐwài, hái* to answer)

   _____

2. 中国春天的天气怎么样？ Zhōngguó chūntiān .de tiānqì zěn.meyàng?

   _____

3. 端午节 Sabrina 做什么？ Duānwǔjié Sabrina zuò shén.me?

   _____

4. 七月的天气还很凉吗？ Qīyuè .de tiānqì hái hěn liáng .ma?

   (use 一点儿也不 *yì.diǎnr yě / dōu bù* to answer this question)

   _____

5. Sabrina 中秋节那天做什么？ Sabrina Zhōngqiūjié nèi-tiān zuò shén.me?

   _____

6. Sabrina 几月回美国？ 她为什么回美国？

   Sabrina jǐ-yuè huí Měiguó? Tā wèishén.me huí Měiguó?

   _____

名字: _____ 日期: _____

5 Match each sentence with its correct response.

A. 除了面条，还有沙拉。Chú.le miàntiáo, hái yǒu shālà.

B. 他一点儿都不喜欢。Tā yì.diǎnr dōu bù xǐ.huān.

C. 我已经睡觉了。*Wǒ* yǐjīng shuìjiào .le.

D. 除了篮球以外，还去游泳。Chú.le lánqiú yǐwài, hái qù yóuyǒng.

E. 一点儿也不难。我觉得中文课很好玩儿！
   Yì.diǎnr yě bù nán. Wǒ jué.de Zhōngwén kè *hěn* hǎowánr!

F. 除了李明以外，我的同学都是美国人。
   Chú.le Lǐ Míng yǐwài, wǒ.de tóngxué dōu shì Měiguórén.

1. _____ 昨天晚上十一点，你还在上网吗？

   Zuótiān wǎn.shàng shíyī-diǎn, nǐ hái zài shàngwǎng .ma?

2. _____ 妈妈做什么晚餐？Mā.x zuò shén.me wǎncān?

3. _____ 你的同学都是美国人吧？Nǐ.de tóngxué dōu shì Měi.guórén .ba?

4. _____ 他喜欢吃粽子吗？Tā xǐ.huān chī zòng.zi .ma?

5. _____ 中文课很难吧？Zhōngwén kè hěn nán .ba?

6. _____ 今天下午只打篮球吗？Jīn.tiān xià.wǔ *zhǐ* dǎ-lánqiú .ma?

6 Fill in the blanks based on what you learned from the Culture Window.

1. The three major Chinese festivals are _____,

   _____, and _____.

2. Zongzi are made of sticky rice and other ingredients that are wrapped in

   _____ leaves. Some zongzi are _____, and some are salty.

3. The Chinese placed antibacterial herbs into cloth sachets and wore them around their

   necks to ward off _____ and _____ because of health reasons.

7 Answer the following questions in Pinyin according to your own situation.

1. 你喜欢吃粽子吗？   Nǐ xǐ.huān chī zòng.zi .ma?

   _____

2. 除了中文以外，你还学什么语言（language）？
   Chú.le Zhōngwén yǐwài, nǐ hái xué shén.me yǔyán?

   _____

3. 今天早上八点，你在吃早餐吗？ Jīntiān zǎo.shàng bā-diǎn, nǐ zài chī zǎocān .ma?

   _____

Unit 6 Lesson A

1 You are a judge at a fashion show. Match each model to the final score card.

1. 西装 xīzhuāng
★★

A.

2. 裙子 qún.zi
★★★★★

B.

3. 衬衫 chènshān
★★★★

C.

4. 大衣 dàyī + 毛衣 máoyī
★★★★

D.

2 Draw a map in the blank space according to the descriptions below.

<u>Side A</u>

书店在手机店右边。Shūdiàn zài shǒujīdiàn yòubiān.

百货商店在书店右边。Bǎihuò shāngdiàn zài shūdiàn yòubiān.

宠物店在手机店左边。Chǒngwùdiàn zài shǒujīdiàn zuǒbiān.

<u>Side B</u>

中国餐厅在快餐店右边。Zhōngguó cāntīng zài kuàicāndiàn yòubiān.

饮料店在冰淇淋店右边。Yǐnliàodiàn zài bīngqílíndiàn yòubiān.

饮料店在快餐店左边。Yǐnliàodiàn zài kuàicāndiàn zuǒbiān.

Side A

马路 mǎlù *road*

Side B

3 Use 自己 *zìjǐ* to rewrite the following sentences.

1. 小英做晚餐。 Xiǎoyīng zuò wǎncān.

    _____

2. 我今天下课以后要去百货商店。 Wǒ jīntiān xià-kè yǐhòu yào qù bǎihuò shāngdiàn.

    _____

3. 林小姐喜欢旅行。 Lín *xiǎo*jiě xǐ.huān lǚxíng.

    _____

4. 哥哥这个周末要去海边。 Gē.x zhèi-.ge zhōumò yào qù hǎibiān.

    _____

5. 国华下午三点以前得去图书馆。 Guóhuá xiàwǔ sān-diǎn yǐqián děi qù túshūguǎn.

    _____

6. 李明今年要回墨西哥。 Lǐ Míng jīnnián yào huí Mòxīgē.

    _____

4 Match each sentence to its correct response.

A. 不好意思，这个周末我得跟我姐姐去百货商店。
   Bù hǎoyì.sī, zhèi-.ge zhōumò wǒ děi gēn wǒ jiě.x qù bǎihuò shāngdiàn.

B. 她今天穿衬衫和裙子。 Tā jīn.tiān chuān chènshān hé qún.zi.

C. 不，我要自己去。 Bù, wǒ yào zìjǐ qù.

D. 三条，一条给她自己，两条给爸爸。
   Sān-tiáo, yì-tiáo gěi tā zìjǐ, liǎng-tiáo gěi bà.x.

E. 因为他想买一只小狗。 Yīnwèi tā xiǎng mǎi yì-zhī xiǎogǒu

F. 我要去小明家玩电子游戏。 Wǒ yào qù Xiǎomíng jiā wán diànzǐ yóuxì.

G. 不，我七月以后去，七月以前去日本。
   Bù, wǒ Qīyuè yǐhòu qù, Qīyuè yǐqián qù Rìběn.

---

1. _____ 下课以后你要去哪里？ Xiàkè yǐhòu nǐ yào qù *nǎ*.lǐ?

2. _____ 这个周末要不要跟我一起去海边游泳？

   Zhèi-.ge zhōumò yào bú yào gēn wǒ yìqǐ qù hǎibiān yóuyǒng?

3. _____ 她今天穿什么衣服？ Tā jīntiān chuān shén.me yī.fú?

4. _____ 你今年暑假要和朋友一起去中国旅行吗？

   Nǐ jīnnián shǔjià yào hé péng.yǒu yìqǐ qù Zhōngguó lǚxíng .ma?

5. _____ 为什么哥哥要去宠物店？ Wèishén.me gē.x yào qù chǒngwùdiàn?

6. _____ 妈妈要买几条裤子？ Mā.x yào *mǎi* jǐ-tiáo kù.zi?

7. _____ 你七月以前去中国吗？ Nǐ Qīyuè yǐqián qù Zhōngguó .ma?

5 Choose the best answer.

1. _____ Which of the following statements is true about the relationships between China and Japan?

    A. China has been influenced by Japan for a very long time.

    B. China's first interaction with Japan was before the turn of the century.

    C. The interaction between China and Japan reached a peak from the 7th century to the 10th century.

2. _____ Which is not a shared characteristic between Japanese kimonos and Chinese-style clothing?

    A. long skirts   B. wide sleeves   C. overlapping lapels

3. _____ Which of the following is not included in the "three daos"?

    A. chadou (dao of tea)   B. kado (dao of flowers)   C. bushido (dao of kung fu)

6 Write the store names these people should go to based on the items that they are thinking about.

1.

    _____

2.

    _____

3. _____   4. _____

7 Read the statements and answer the questions.

1. 今年是二零一七年，妈妈五十年以前出生 (*to be born*)。
   Jīnnián shì yī *jiǔ* jiǔ bā nián, mā.x wǔ.shí nián yǐqián chūshēng.

   Q: 妈妈的生日是哪一年？ Mā.x .de shēng.rì shì nǎ-yì nián?

   _____

2. 今年是二零零零年，哥哥一九九六年去美国念书。
   Jīnnián shì èr líng líng líng nián, gē.x yī *jiǔ* jiǔ liù nián qù Měiguó niàn-shū.

   Q: 哥哥几年以前去的美国？ Gē.x jǐ-nián yǐqián qù.de Měiguó?

   _____

3. 去法国旅行要三千块，姐姐一个月可以存(*to save*)一千块。

   Qù Fǎguó lǚxíng yào sān-qiān kuài, jiě.x yí.ge yuè *kěyǐ* cún yìqiān kuài.

   Q: 姐姐几个月以后可以去法国旅行？ Jiě.x jǐ-. ge yuè yǐhòu *kěyǐ* qù Fǎguó lǚxíng?

   _____

4. 今天是六月一日，九月一日新学期开始(*to start*)。

   Jīntiān shì Liùyuè yī rì, Jiǔyuè yī rì xīn xuéqī kāishǐ.

   Q: 新学期几个月以后开始？ Xīn xuéqī jǐ-.ge yuè yǐhòu kāishǐ?

   _____

5. 小明每天下午四点下课，现在是上午十点。

   Xiǎomíng měitiān xiàwǔ sì-diǎn xià-kè, xiànzài shì shàngwǔ shí-diǎn.

   Q: 小明几个小时以后可以下课？ Xiǎomíng jǐ-.ge xiǎoshí yǐhòu *kěyǐ* xià-kè?

   _____

6. 小英星期一有化学考试，星期二有历史考试，星期四有英文、数学考试。

   Xiǎoyīng Xīngqīyī yǒu huàxué kǎoshì, Xīngqī'èr yǒu lìshǐ kǎoshì, Xīngqī'sì yǒu Yīngwén, shùxué kǎoshì.

   Q: 小英星期五以前有几个考试？ Xiǎoyīng Xīngqīwǔ yǐqián *yǒu* jǐ-.ge kǎoshì?

   _____

8 Answer the following questions.

1. 天气很热的时候你穿什么？ Tiānqì hěn rè .de shíhòu nǐ chuān shén.me?

＿＿＿＿＿＿＿＿＿＿＿＿＿＿＿＿＿＿＿＿＿＿＿＿＿＿＿＿＿

2. 天气冷的时候你穿什么？ Tiānqì lěng .de shíhòu nǐ chuān shén.me?

＿＿＿＿＿＿＿＿＿＿＿＿＿＿＿＿＿＿＿＿＿＿＿＿＿＿＿＿＿

3. 你什么时候穿西装？
   Nǐ shén.me shíhòu chuān xīzhuāng?

＿＿＿＿＿＿＿＿＿＿＿＿＿＿＿＿＿＿＿＿＿＿＿＿＿＿＿＿＿

4. 你有几件外套？
   Nǐ yǒu jǐ-jiàn wàitào?

＿＿＿＿＿＿＿＿＿＿＿＿＿＿＿＿＿＿＿＿＿＿＿＿＿＿＿＿＿

5. 你喜欢穿衬衫吗？
   Nǐ xǐ.huān chuān chènshān .ma?

＿＿＿＿＿＿＿＿＿＿＿＿＿＿＿＿＿＿＿＿＿＿＿＿＿＿＿＿＿

6. 你想自己去旅行吗？
   Nǐ xiǎng zìjǐ qù lǚxíng .ma?

＿＿＿＿＿＿＿＿＿＿＿＿＿＿＿＿＿＿＿＿＿＿＿＿＿＿＿＿＿

Unit 6 Lesson B

1 Write the most common color of each item. Follow the model.

Lì.zi:

红色 hóng.sè

1. _____   2. _____   3. _____

4. _____   5. _____   6. _____

2 Fill in the number for the population of each continent in Chinese.

北美洲 *Běi* Měizhōu:
30,000,000

1. _____

亚洲 Yàzhōu:
3,879,000,000

2. _____

欧洲 Ōuzhōu:
723,000,000

3. _____

非洲 Fēizhōu:
62,000,000

5. _____

南美洲 Nán Měizhōu:
302,000,000

4. _____

3 **Match each sentence to its correct response.**

A. 红色。Hóng.sè.

B. 三条。Sān-tiáo.

C. 灰色的衬衫。Huī.sè .de chènshān.

D. 八点五折。Bā *diǎn* wǔ-zhé.

E. 一千八百个。Yì-qiān bā-bǎi .ge.

F. 不好意思，没有折扣。Bù hǎoyì.sì, méiyǒu zhékòu.

G. 两千八百块钱。Liǎng-qiān bā-bǎi-kuài qián.

H. 我觉得很好看。Wǒ jué.de *hěn* hǎokàn

1. _____ 珍珍喜欢什么颜色？Zhēnzhēn xǐ.huān shén.me yán.sè?

2. _____ 你的学校有多少学生？Nǐ.de xuéxiào yǒu duōshǎo xué.shēng?

3. _____ 这条裙子打几折？Zhèi-tiáo qún.zi *dǎ* jǐ-zhé?

4. _____ 这件咖啡色的毛衣怎么样？Zhèi-jiàn kāfēi.sè .de máoyī zěn.meyàng?

5. _____ 他要买什么颜色的衬衫？Tā yào mǎi shén.me yán.sè .de chènshān?

6. _____ 你有几条牛仔裤？*Nǐ yǒu* jǐ-tiáo niúzǎikù?

7. _____ 这条裤子没有折扣吗？Zhèi-tiáo kù.zi méiyǒu zhékòu .ma?

8. _____ 这件灰色的外套多少钱？Zhèi-jiàn huī.sè .de wàitào duōshǎo qián?

4 **Match each person with the item of clothing he/she wants to purchanse.**

1. ____

我想买一件有折扣的毛
衣。
Wǒ xiǎng mǎi yí-jiàn yǒu
zhékòu .de máoyī.

A.

我想买一件漂亮的裙子。
Wǒ xiǎng mǎi yí-jiàn
piào.liàng .de qún.zi.

2. ____

B.

我想买一件便宜点儿的白
色衬衫。
Wǒ xiǎng mǎi yí-jiàn
pián.yí diǎnr .de bái.sè
chènshān.

C.

3. ____

我想买一件贵的裙子。
Wǒ xiǎng mǎi yí-jiàn
guì .de qún.zi.

D.

4. ____

5 **Choose the best answer.**

1. _____ Which is the correct composition of Wu Xing (Five elements)?

    A. metal, wood, water, fire, earth

    B. gold, silver, water, fire, earth

    C. metal, wind, water, wood, fire

2. _____ Which of the following is not a correct representation of colors for the Chinese?

    A. White represents purity

    B. Black represents hornor and subtlety

    C. Yellow represents wealth

3. _____ Which one is not traditional Chinese dress?

    A. cheongsam   B. Hanfu   C. kimono

6 **Read the following statements and answer the questions. (Note: you may need a calculator to do this exercise.)**

1. 一台五千块的电脑打八折，多少钱？

Yì-tái wǔ-qiān kuài .de diànnǎo dǎ bā-zhé, duōshǎo qián?

_____

2. 一辆十万块的车打九折，多少钱？

Yí-liàng shí-wàn kuài.de chē, *dǎ* jiǔ-zhé, duōshǎo qián?

_____

3. 一栋两百万块的房子(*house*)打五折，多少钱？

    Yí-dòng *liǎng*-bǎi wàn kuài .de fáng.zi, *dǎ* wǔ-zhé, duōshǎo qián?

    _____

4. 一条三百块的裤子打七折，多少钱？

    Yì-tiáo sān-bǎi kuài qián .de kù.zi, dǎ qī-zhé, duōshǎo qián?

    _____

5. 一套八百块的西装，打三折，多少钱？

    Yí-tào bā-bǎi kuài .de xīzhuāng dǎ sān-zhé, duōshǎo qián?

    _____

7 Fill in the original price and the discount. Follw the model.

Lì.zi: 10% off = 打 dǎ <u>九</u> 折 zhé。

    ¥ 500 → ¥ <u>450</u>

1. 15% off = 打 dǎ _____ 折 zhé

    ¥ 10,000 → ¥_____

2. 30% off = 打 dǎ _____ 折 zhé

    ¥ 6,000,000 → ¥_____

3. 25% off = 打 dǎ _____ 折 zhé

¥ 50,000,000 → ¥

4. 90% off = 打 dǎ _____ 折 zhé

¥ 10,000 → ¥

5. 60% off = 打 dǎ _____ 折 zhé

¥ 475,000 → ¥

8 Answer the following questions.

1. 你喜欢自己选衣服吗？ *Nǐ* xǐ.huān zìjǐ xuǎn yī.fú .ma?

_____

2. 你觉得什么颜色的裤子好看？ Nǐ jué.de shén.me yán.sè .de kù.zi hǎokàn?

_____

3. 一件九十块美金的衬衫打五折，你买不买？
   Yí-jiàn jiǔ.shí-kuài Měijīn .de chènshān *dǎ* wǔ-zhé, *nǐ* mǎi bù mǎi?

_____

Unit 6 Lesson C

1 The people below describe the way they are dressed. Fill in the blanks with the
corresponding adjectives.

| 旧 jiù | 松 sōng | 时髦 shímáo | 紧 jǐn | 老 lǎo | 合身 héshēn |

这条牛仔裤的大小刚好！
Zhèi-tiáo niúzǎikù .de dàxiǎo
gāng hǎo!

这件衬衫是 M 号，可是我
穿 XL 号的。Zhèi-jiàn
chènshān shì M hào, kěshì
wǒ chuān XL hào .de.

这件外套我十年前买的！
Zhèi-jiàn wàitào wǒ shí-nián
qián mǎi.de!

1. _____

2. _____

3. _____

我昨天穿新的裙子，可是
朋友说我像五十岁的人！
Wǒ zuótiān chuān xīn .de
qún.zi, kěshì péng.yǒu shuō
wǒ xiàng wǔ.shí-suì .de rén!

这是在百货商店买的新衣
服，非常好看。Zhè shì zài
bǎihuò shāngdiàn mǎi .de xīn
yī.fú, fēicháng hǎokàn.

这件衬衫太大了，有没有
小一点儿的？
Zhèi-jiàn chènshān tài dà .le,
yǒu méiyǒu xiǎo yìdiǎnr .de?

4. _____

5. _____

6. _____

2 Match each question to its correct response.

A. 红色。Hóng.sè.

B. 我觉得不但好看，而且合身。Wǒ jué.de búdàn hǎokàn, érqiě héshēn.

C. 好啊！没问题。Hǎo .a! Méi wèntí.

D. 不好意思，没有。Bù hǎoyì.sī, méiyǒu.

E. 我想请小华、美文和国正。Wǒ xiǎng qǐng Xiǎohuá, Měiwén hé Guózhèng.

F. 太紧了。Tài jǐn .le.

G. 一点都不时髦。Yì.diǎn dōu bù shímáo.

1. _____ 这件毛衣时髦吗？Zhèi-jiàn máoyī shímáo .ma?

2. _____ 这件衬衫大小怎么样？Zhèi-jiàn chènshān dàxiǎo zěn.meyàng?

3. _____ 你觉得这条牛仔裤好看吗？Nǐ jué.de zhèi-tiáo niúzǎikù hǎokàn .ma?

4. _____ 这件外套有没有 38 号的？Zhèi-jiàn wàitào yǒu méi.yǒu sān.shíbā-hào .de?

5. _____ 你想请谁来你的生日派对？Nǐ xiǎng qǐng shéi lái nǐ.de shēng.rì pàiduì?

6. _____ 下次我们一起去玩，好吗？Xiàcì wǒ.mén yìqǐ qù wán, hǎo .ma?

7. _____ 我穿什么颜色的衣服比较合适？Wǒ chuān shén.me yánsè .de yī.fú bǐjiào héshì?

3 Use the pattern 不但……而且……*búdàn… érqiě…*to rewrite the sentences. Follow the model

> **Li.zi:** 哥哥想打篮球，也想踢足球。
> Gē.x *xiǎng* dǎ-lánqiú, *yě* xiǎng tī-zúqiú.
> 哥哥不但想打篮球，而且也想踢足球。
> Gē.x búdàn *xiǎng* dǎ-lánqiú, ér*qiě yě* xiǎng tī-zúqiú.

1. 这家餐厅的菜又贵又难吃。Zhèi jiā cāntīng .de cài yòu guì yòu nánchī.

   _____

2. 姐姐上中文课，还上日文课。Jiě.x shàng Zhōngwén kè, hái shàng Rìwén kè.

   _____

3. 他的衬衫又松又旧。Tā.de chènshān yòu sōng yòu jiù.

   _____

4. 小英的牛仔裤又合身又好看。Xiǎoyīng .de niúzǎikù yòu héshēn yòu hǎokàn.

   _____

5. 他们不喜欢吃炸鸡，也不喜欢喝可乐。
   Tā.men bù xǐ.huān chī zhájī, yě bù xǐ.huān hē kělè.

   _____

4 Look at the chart below and decide if each statement is true or false.

	瑛瑛 Yīngyīng	李明 Lǐmíng	世方 Shìfāng	小真 Xiǎozhēn	国华 Guóhuá
衬衫 chènshān		size 40		size 35	size38
外套 wàitào		size 42	size 42		size 40
裙子 qún.zi	size 37				
T恤 tīxù	size 36	size 38		size 34	
牛仔裤 niúzǎikù	size 29			size 28	

1. _____ 瑛瑛穿三十七号的裙子。Yīngyīng chuān sān.shíqī-hào .de qún.zi.

2. _____ 李明和国华都穿四十号的外套。

   Lǐmíng hé Guóhuá dōu chuān sì.shí-hào .de wàitào.

3. _____ 小真穿二十九号的牛仔裤太小。

   Xiǎozhēn chuān èr.shíjiǔ-hào .de niúzǎikù tài xiǎo.

4. _____ 世方穿四十二号的外套合身。

   Shìfāng chuān sì.shí'èr-hào .de wàitào héshēn.

5. _____ 瑛瑛穿二十八号的牛仔裤很紧。

   Yīngyīng chuān èr.shíbā-hào .de niúzǎikù hěn jǐn.

6. _____ 国华穿四十号的衬衫有点儿松。

   Guóhuá chuān sì.shí-hào .de chènshān yǒudiǎnr sōng.

7. _____ 李明穿三十八号的T恤大小刚好。

   Lǐmíng chuān sān.shíbā-hào .de tīxù dàxiǎo gāng hǎo.

5 Choose the best answer.

1. _____   What is not one of the clothing sizes used in China?

     A. 号 *hào*   B. 码 *mǎ*   C. 型 *xíng*

2. _____   In what measurement are the labels of Chinese clothing sizes?

     A. inches   B. centimeters   C. meters

3. _____   Which of the following countries uses a different system of measurement for footwear?

     A. China   B. France   C. Japan

6 Answer the following questions.

1. 你觉得你很时髦吗?
   Nǐ jué.de *nǐ* hěn shímáo .ma?

   _____

2. 你喜欢合身的衣服还是松的衣服?
   Nǐ xǐ.huān héshēn .de yī.fú háishì sōng .de yī.fú?

   _____

3. 你喜欢自己去买衣服还是跟朋友一起去?
   Nǐ xǐ.huān zìjǐ qù mǎi yī.fú háishì gēn péng.yǒu yìqǐ qù?

   _____

4. 你喜欢成熟的衣服吗?
   Nǐ xǐ.huān chéngshú .de yī.fú .ma?

   _____

7

The following is Lulu's April calendar and descriptions of her friends. She hasn't decided who she should invite to do each activity with her. Help her find the suitable person and write down the final decisions.

星期一 Xīngqīyī	星期二 Xīngqī'èr	星期三 Xīngqīsān	星期四 Xīngqīsì	星期五 Xīngqīwǔ	星期六 Xīngqīliù	星期日 Xīngqīrì
1	2	3	4 去日本玩 qù Rìběn wán	5	6	7
8	9	10	11 法国音乐会 Fǎguó yīnyuèhuì	12	13	14
15 看电影 kàn-diànyǐng	16	17	18 游泳 yóuyǒng	19	20 茶店喝茶 chádiàn hē-chá	21
22	23	24 去中国餐馆 qù Zhōngguó cānguǎn	25	26 买衣服 mǎi yī.fú	27	28

郑翔 Zhèng Xiáng：喜欢体育，他的爱好是游泳。
　　　　　　　　Xǐ.huān tǐyù, tā.de àihào shì yóuyǒng.

林平 Lín Píng：时髦，和 Lulu 一起上法文课。Shímáo, hé Lulu yìqǐ shàng Fǎwén kè.

李华 Lǐ Huá：喜欢喝茶。星期六早上和 Lulu 一起上画画课。
　　　　　　Xǐ.huān hē-chá. Xīngqīliù zǎoshàng hé Lulu yìqǐ shàng huà.x kè.

张英 Zhāng Yīng：会说日文，喜欢日本文化(culture)。
　　　　　　　　Huì shuō Rìwén, xǐ.huān Rìběn wénhuà.

美芳 Měifāng：中文很好。不但喜欢中国文化，而且喜欢吃中国菜。
　　　　　　　Zhōngwén hěn hǎo. Búdàn xǐ.huān Zhōngguó wénhuà, érqiě xǐ.huān chī Zhōngguó cài.

温红 Wēn Hóng：喜欢看电影，常常去图书馆看书。
　　　　　　　Xǐ.huān kàn-diànyǐng, cháng.x qù túshūguǎn kàn-shū.

Follow the model, help Lulu write down whom to invite and what to do on the following dates.

Li.zi: 四月二十六日 Sìyuè èr.shíliù rì

请林平跟我去买衣服。Qǐng Lín Píng gēn wǒ qù mǎi yī.fú.

1. 四月一日 Sìyuè yī rì ～ 四月七日 Sìyuè qī rì

   _____

2. 四月十一日 Sìyuè shíyī rì

   _____

3. 四月十五日 Sìyuè shíwǔ rì

   _____

4. 四月十八日 Sìyuè shíbā rì

   _____

5. 四月二十日 Sìyuè èr.shí rì

   _____

6. 四月二十四日 Sìyuè èr.shísì rì

   _____

Unit 6 Lesson D

1 Match each of the following pictures to the correct vocabulary word.

 1. _____

A. 靴子
   xuē.zi

2. _____

B. 运动鞋
   yùndòngxié

3. _____

C. 皮鞋
   píxié

4. _____

D. 拖鞋
   tuōxié

2 Fill in the blanks with the correct word from the box.

好看 hǎokàn	套 tào	怎么样 zěn.meyàng	找 zhǎo
适合 shìhé	一点儿 yì.diǎnr	样 yàng	帮忙 bāngmáng
试试 shì.x			

1. **A:** 请问你需要 Qǐngwèn nǐ xūyào_____吗.ma?

   B: 我想 Wǒ xiǎng_____这双咖啡色的靴子 zhèi-shuāng kāfēi.sè .de

   xuē.zi。

2. **A:** 这双运动鞋有没有大 Zhèi-shuāng yùndòngxié yǒu méiyǒu dà_____

   的.de?

   B: 有，请等一下。Yǒu, qǐng děng yí.xià.

3. **A:** 这 Zhèi_____西装 xīzhuāng_____?

   B: 很帅 Hěn shuài, 很 hěn_____你 nǐ。

4. **A:** 你想 Nǐ xiǎng_____什么样的衣服 shén.meyàng .de yī.fú?

   B: 我想买白色的衬衫。Wǒ xiǎng mǎi bái.sè .de chènshān.

5. **A:** 你想找什么 Nǐ xiǎng zhǎo_____的裙子.de qún.zi?

   B: 我想买一件 Wǒ xiǎng mǎi yí-jiàn_____一点儿的裙子 yì.diǎnr .de

   qún.zi。

3 Look at the chart below and read each person's point of view towards the appearance of the people below. Decide if each of the following statements is true or false.

	张庭 Zhāng Tíng	温虹 Wēn Hóng	国华 Guóhuá	世容 Shìróng
Jessica	漂亮 piàoliàng	漂亮 piàoliàng	漂亮 piàoliàng	漂亮 piàoliàng
Lucy	好看 hǎokàn	不好看 bù hǎokàn	不好看 bù hǎokàn	不好看 bù hǎokàn
Simpson	不好看 bù hǎokàn	老 lǎo	有意思 yǒu yì.sī	好玩儿 hǎowánr
Sam	帅 shuài	成熟 chéngshú	老 lǎo	帅 shuài

1. _____ 大家都觉得 Jessica 很漂亮。

   Dàjiā dōu jué.de Jessica hěn piàoliàng.

2. _____ 温虹觉得 Lucy 好看。

   Wēn Hóng jué.de Lucy hǎokàn.

3. _____ 没有人觉得 Lucy 好看。

   Méiyǒu rén jué.de Lucy hǎokàn.

4. _____ 世容觉得 Simpson 好玩儿。 Shìróng jué.de Homer hǎowánr.

5. _____ 国华觉得 Simpson 老。 Guóhuá jué.de Simpson lǎo.

6. _____ 张庭和世容都觉得 Sam 帅。

   Zhāng Tíng hé Shìróng dōu jué.de Sam shuài.

7. _____ 没有人不喜欢 Sam。 Méiyǒu rén bù xǐ.huān Sam.

4 Rewrite each sentence using 一点儿 *yì.diǎnr* to modify the adjective. Follow the model.

> Li.zi: 你们有没有辣的菜？Nǐ.men yǒu méiyǒu là .de cài?
>
> 你们有没有辣一点儿的菜？Nǐ.men yǒu méiyǒu là yì.diǎnr .de cài?

1. 今天比昨天热。Jīntiān bǐ zuótiān rè.

   _____

2. 这件睡衣小。Zhèi-jiàn shuìyī xiǎo.

   _____

3. 姐姐想找帅的男朋友 (*boyfriend*)。Jiě.x *xiǎng* zhǎo shuài .de nán péng.yǒu.

   _____

4. 我要喝甜的红茶。Wǒ yào hē tián .de hóngchá.

   _____

5. 拖鞋二十块太贵了，能便宜吗？
   Tuōxié èr.shí-kuài tài guì .le, néng piányì .ma?

   _____

5 Write a sentence using 最 *zuì* to describe each picture.

1. _____

_____

2. _____

_____

3. _____

_____

4. _____

_____

6 Describe how each of the following people are dressed. Follow the model.

Lì.zi: **A:** 他穿什么衣服？ Tā chuān shén.me yī.fú?

B: 他穿一件很松的 T 恤和很大的牛仔裤。
Tā chuān yí-jiàn hěn sōng .de tīxù hé hěn dà .de niúzǎikù.

1. **A:** 她是一个什么样的学生？
Tā shì yí-.ge shén.meyàng .de xuéshēng?

B: _____

2. **A:** 这是一双什么样的靴子？
Zhè .shì yì-shuāng shén.meyàng .de xuē.zi?

B: _____

3. **A:** 这是一个什么样的男人？
Zhè .shì yí-.ge shén.meyàng .de nánrén?

B: _____

7 Choose the best answer.

1. ____ Which of the following is not a correct description about Wangfujing?

       A. It has long history.
       B. It is a pedestrian area.
       C. It is a famous residential street.

2. ____ Which is not the silk capital in China?

       A. Suzhou   B. Guizhou   C. Hangzhou

3. ____ Which of the following descriptions is not correct about the Chinese silk culture?

       A. Silk production originated more than 3,000 years ago.
       B. Silk production was near the lower end of Yangtze River.
       C. Silk has been a favorite of China's aristocracy and merchants.

8 Answer the following questions in Pinyin according to your own situation.

1. 夏天的时候，你穿脱鞋吗？ Xià.tiān .de shíhòu, nǐ chuān tuōxié .ma?

       _____

2. 你有几双鞋？ *Nǐ yǒu* jǐ-shuāng xié?

       _____

3. 冬天的时候，你穿不穿靴子？ Dōngtiān .de shíhòu, nǐ chuān bù chuān xuē.zi?

       _____